LOS ESCÁNDALOS

Un ensayo donde los culpables de los desórdenes políticos tienen nombre y apellido

RAFAEL
LORET DE MOLA

LOS ESCÁNDALOS

Un ensayo donde los culpables de los desórdenes políticos tienen nombre y apellido

grijalbo

LOS ESCÁNDALOS
Un ensayo donde los culpables de los desórdenes políticos tienen nombre y apellido

D.R. © 1999 por EDITORIAL GRIJALBO, S.A. de C.V.
(Grijalbo Mondadori)
Calz. San Bartolo Naucalpan núm. 282
Argentina Poniente 11230
Miguel Hidalgo, México, D.F.

ISBN 970-05-1166-9

IMPRESO EN MÉXICO

Índice

Expiación

La obra que el lector tiene en sus manos, retrato fiel de lo que he visto, vivido y asimilado en los años recientes, debió encuadrarse bajo un título distinto. El original señalaba: *Hijos de perra*. Pero no pudo ser.

Todavía algunas resistencias, no imputables a los editores, siempre generosos con este autor, detuvieron la exclamación enérgica intentando atemperar, sin lograrlo, el filo de nuestra pluma, recurso legítimo de un escritor contra la inaudita prolongación de la barbarie política. Un capítulo, el último, recibió el bautizo acaso para redimirnos a todos del pecado original.

¡Hijos de perra! es una expresión catártica; también un grito que surge de la impotencia. Durante varios lustros un puñado de periodistas críticos, a quienes se han sumado otros que sólo se animan a cuestionar cuando tienen garantizado su *status*, hemos señalado, acusado, denunciado, a los grandes detractores de la vida nacional. A cambio, sin más razonamientos que la aviesa prepotencia, algunos de los peores vástagos del sistema perviven. ¿No es válido, entonces, alzar la voz contra ellos? Siquiera ese derecho, la sanción social, debe prevalecer contra la oleada de lacayunerías.

Los servidores de la jauría política, bajo el camuflaje de un cuestionable profesionalismo, dirán que, a falta de argumentos, caemos en la injuria fácil. Nada más alejado de este libro, como podrá corroborar el lector si se anima a traspasar esta antesala. Sucede que también el espíritu se inflama ante el espectáculo oscuro de la inmoralidad pública y del continuismo que rebasó ya el linde de lo grotesco.

¿Qué hacer cuando, a despecho de infinidad de cuestionamientos jamás respondidos de manera cabal, un ex gobernador ligado al narcotráfico se asume como precandidato presidencial? En idéntica perspectiva, un personero de la peor mafia de nuestro tiempo, viola la Constitución y se reelige; y otros más, protegidos siempre por el gran poder contemporáneo, sólo sonríen cuando son descubiertos. Todos se saben usufructuarios de la mayor impunidad concebible; y cada uno, en su esfera, recibe a diario la bendición presidencial. Pero, ¿merecen ser tratados con la consideración de los eufemismos?

Por ello el calificativo con el que cerramos los expedientes del herido México actual acierta y sacude aun cuando no falten los hipócritas que desdeñen lo aquí asentado alegando un jubileo de la vulgaridad... como si sus castos oídos fueran ajenos al festín de inmundicias en que se ha convertido cada sucesión sexenal y cada nuevo, contaminado pasaje político, incluyendo los episodios criminales.

A los de piel delicada y manos largas bien les valdría sorprenderse por la prolongada manipulación de la casta gobernante y no por el clamor rotundo, fruto del dolor contenido ante la observación directa, de un periodista que se precia de ser incontrolable.

A esos hijos de perra, los saludo también.

RAFAEL LORET DE MOLA

1. Los secretos

—Peligrosa tesis, Rafael. Peligrosa tesis.

Octubre de 1991, ciudad de México. En el despacho del titular de la Secretaría de Gobernación, Fernando Gutiérrez Barrios, no parece haber lugar para las divagaciones; la política es concreta, recia, inapelable. Cuenta la historia que el connotado veracruzano con quien dialogo es un hombre con "mano firme" forjado al calor de las tareas policiacas, pero ni su apariencia ni su suave acento responden al estereotipo de los autócratas. Delgado, con rostro apacible en el que sólo sobresale un discreto pero bien recortado bigote, don Fernando filosofa en territorio propio:

—Insinuar que el presidente de la República sea capaz de postular a su hermano para que le suceda en el ejercicio del poder me parece, francamente, temerario.

—Es ficción, don Fernando. La trama se desarrolla en una nación imaginaria que no necesariamente coincide con México.

—Usted y yo sabemos cuáles son los móviles, Rafael. Ponga las ideas a reposar y tranquilícese. Ya verá que las cosas irán componiéndose.

Días difíciles aquellos para los periodistas mexicanos. Lo han sido todos desde el arribo de la nueva clase tecnopolítica y bajo el peso de la acotada "libertad" de expresión que, cada año, reúne más cadáveres en torno a las mesas de celebración. Un duelo simulado con el antifaz de la verdad mediatizada. Porque ningún crítico independiente, que lo sea en serio, ha dejado de percibir, en carne propia y en mayor o menor grado, la sinrazón represiva del "sistema"; y en aquella jornada tenía yo plena conciencia del hecho.

—Vengo a verlo —le dije a Gutiérrez Barrios— porque, a mi regreso del viaje que contra mi voluntad usted me impuso, encontré todas las puertas cerradas. Tengo etiqueta de periodista incómodo, indeseable en los medios acostumbrados a lucrar con sus relaciones con el gobierno.

—Nada tenemos que ver en eso —respondió el "ministro"—. Yo no soy director de periódicos ni accionista de ninguna estación de radio. ¿Qué va usted a hacer?

La pregunta, en sí, era una invitación al quebranto moral; un desafío con un severo handicap en contra. No parecía haber salidas, pero encontré una:

—Usted me ofreció que no intervendría para bloquear mi reincorporación a mis medios habituales. Y no ha sido así, don Fernando. Pero voy a seguir escribiendo...

—¿En dónde, Rafael?

—Haré un libro para exhibir nuestra realidad y proyectar posibles desenlaces. Creo saber cuál será el derrotero de Carlos Salinas de Gortari: conservar su influencia sin necesidad de reelegirse.

—Tranquilícese, Rafael. Por su bien.

La tensa audiencia, solicitada por mí para exigir respeto y las garantías mínimas, no se apartó de las cortesías habituales:

—En su momento, Rafael, le acercaré al "bueno".

—Eso quiere decir que no lo será usted, don Fernando. ¿A quién le apuesta? ¿A Manuel Camacho o a Luis Donaldo Colosio?

—Es un buen amigo suyo. Y eso obra en su favor.

Tiempo atrás, en los prolegómenos de la sucesión de Miguel de la Madrid, a quien disecciooné en toda su amplia mediocridad —*Radiografía de un presidente*, Grijalbo, 1987—, Carlos Hank González, temido por unos y endiosado por otros, me advirtió solemne:

—Recuerde: en este país un periodista y un político pueden sobrevivir siendo adversarios de un régimen; jamás si lo son de dos seguidos.

El estigma de la corrupción alcanza a todos. Y no faltan quienes pontifican, erigiéndose en paladines de la honestidad sin enseñar las manos sucias. Son tantas las evidencias sobre la indigna cohabitación de los informadores con los gobernantes que a todos nos llegan las sospechas.

—¿Cuáles son sus "fuentes"? —me cuestionó un locutor radiofónico en Guadalajara—. Se dice que Gutiérrez Barrios y Hank están detrás de usted...

—Nadie se ha atrevido a responderme —contesté—, ni he sido objeto de juicios por difamación como otros colegas. Esto corrobora que no falto a la verdad. Sin embargo, usted duda sobre la autenticidad de mi trabajo. ¿Gutiérrez y Hank? Sí, muchas veces he dialogado con ellos. Debo hacerlo si pretendo contar con información de primera mano. Pero de ello a que sean mis promotores hay un abismo...

—¿Entonces por qué no los ataca como a otros?

—También los he cuestionado cuando ha sido necesario. Son dos figuras plenas de claroscuros. Puntualizo: no ataco, señalo; no ofendo, cuestiono. Los periodistas si no somos contrapesos de quienes ejercen el poder, perdemos nuestra razón de ser y fracturamos vocación y destino.

—Pero con Hank y Gutiérrez Barrios es usted más tolerante...

—Es un enfoque equivocado. A don Fernando lo he señalado como el operador represivo del sistema, sobre todo contra los periodistas; y de Hank he dicho, nada menos, que cada día son más las interrogantes acerca de sus presuntos vínculos con el narcotráfico y su condición de "número uno". ¿Es poca cosa?

El escepticismo tiene razón de ser porque nadie sabe, a ciencia cierta, hasta dónde se extienden los pantanos. ¿Cómo confiar en un comunicador cuando son tantos los episodios de los mercenarios convertidos en defensores a ultranza de sus amigos? A veces basta con la zalamería para cooptar a decenas de periodistas, incluso a algunos de los más intransigentes. Bien lo sabe, entre otros, José Antonio González Fernández, líder priísta por designio superior tal y como otrora sucedía durante las avasallantes monarquías europeas que ahora deambulan por el parlamentarismo.

—El licenciado González Fernández le invita a desayunar en su despacho. ¿Tiene usted algún inconveniente? Él, como yo, es un buen lector de sus obras. Y quiere hacerle algunos comentarios.

Hugo Arce, notable marqués de las relaciones públicas "a la mexicana", oriundo de Guerrero, logró convidar y acercar a la mesa del jerarca priísta llamado a confrontar la dura contienda presidencial del año 2000, a más de 300 comunicadores, de distintas tendencias y orígenes, hasta convertirlo en una especie de discreto "ujier" al servicio del doctor Ernesto Zedillo Ponce de León. Arce no pudo continuar con su estratégica función: murió, en circunstancias extrañas, no investigadas suficientemente, en un accidente de carretera. Algunos de sus allegados creen que fue víctima de un atentado. Aventuro: podría haber dejado de ser útil, como ha sucedido con otros brillantes servidores del *establishment*.

—Queremos homenajearlo —solicitó González Fernández—, editando un libro en su memoria con los testimonios de sus amigos. ¿Podrías sumarte a ellos?

Pese a la simpatía que le tuve al infortunado Arce opté por abstenerme de participar en el tardío jubileo por una sencilla razón: mi trato con él fue siempre superficial, distante. Recuerdo, eso sí, que llevó dos veces a mi domicilio particular, obsequioso, sendas cajas conteniendo cecina guerrerense, excepcional por cierto, para subrayar una cercanía que, en realidad, no existió jamás.

Pareciera que a los políticos mexicanos, napoleónicos por convicción, les basta aplicar la máxima del Emperador de Francia, conocedor profundo de la condición humana, sobre la lisonja incontestable: un homenaje, a veces, es más efectivo que un soborno. No son pocos los colegas que se dejan querer y aceptan, convencidos, algún padrinazgo como "puente" para evitar ser arrollados por las turbulentas aguas de la represión. Otros, los menos, aprovechan los escenarios del poder para medir e incluso conmover a los usufructuarios del mismo. A González Fernández, lo recuerdo bien, le dije un día:

—No se puede entender la política mexicana, y a nuestros políticos, sin analizar a fondo dos vertientes terribles.

—¿Cuáles? —apuró, inquieto, el institucional funcionario.

—La infiltración del narcotráfico en la estructura gubernamental y el desarrollo exitoso de la "cofradía de la mano caída". Porque la corrupción tiene, en nuestro país, una de estas dos connotaciones: los vínculos con los zares de la droga o el amafiamiento homosexual.

González Fernández ignoró el comentario, aguardó unos segundos y continuó la conversación sin hilar palabra alguna con la última sentencia:

—Me temo que el PRI —expresó González Fernández, entonces todavía en funciones de director general del ISSSTE, eludiendo la réplica—, ha perdido a varios de sus mejores ases. Y esto complica la sucesión presidencial.

—El desprestigio no es gratuito —argüí—. Quienes se "quemaron" lo hicieron, en buena medida, por "méritos" propios. Analicemos, por ejemplo, el caso de Emilio Chuayffet Chemor.

—Van quedando pocos —continuó González Fernández—. De plano sólo les veo condiciones a Francisco Labastida y Esteban Moctezuma.

—¿Y los gobernadores? ¿Tú mismo?

—El tiempo dirá...

Gobernadores. Emilio Chuayffet Chemor, uno de los políticos con fama de sabios dentro del cuadro contemporáneo, dejó el gobierno del Estado de México, formularios legislativos de por medio —aguardó la "decisión" de su Congreso para aceptar el designio presidencial—, para encumbrarse como segundo secretario de Gobernación del régimen del doctor Ernesto Zedillo, una lista generosa que ya abarca a cuatro fugaces huéspedes del Palacio de Bucareli. El nombramiento recayó en el mexiquense, discípulo del connotado maestro Jesús Reyes Heroles, unos días después de que cesó a catorce policías estatales que protagonizaron un extraño conato de asalto contra el intocable jovencito Ernesto Zedillo Velasco en Tecamachalco.

—Yo no seré secretario de Gobernación —me confió el propio Chuayffet dos semanas antes de la asunción presidencial del doctor Zedillo—. Hay muchas señales al respecto.

—Algunas apuntan hacia aquí, ¿no?

—Para nada. ¿Sabes una cosa? Esteban Moctezuma le profesa una gran simpatía a Manuel Bartlett. Su trato es directo. Tú sabes que Esteban es el hombre clave, el que le lleva la agenda al presidente electo.

—¿Y eso qué significa, Emilio?

—Que Bartlett regresará al despacho de Bucareli. Moctezuma es el enlace entre él y el doctor Zedillo. Ya está todo decidido.

Días después la incógnita se despejó: en efecto Chuayffet permaneció en la sede gubernamental del Estado de México y Moctezuma ocupó la titularidad de Gobernación. Bartlett, contra la apuesta del inquieto Emilio, fue sólo el testigo más cercano... o eso aparentó, desde luego. ¡Ah! Desde tiempo atrás, Javier Moctezuma Barragán, hermano de Esteban, estrechó cercanías y colaboraciones con el controvertido Manuel, encumbrado en la época gris (sobre todo en materia política) de Miguel de la Madrid —1982-1988—, hasta convertirse en el hombre de todas sus confianzas. La suerte parecía echada.

Sin embargo, los desaciertos de Moctezuma se aunaron al talentoso proceder de Chuayffet para perseguir y castigar a los patrulleros voraces que importunaron al hijo del presidente en jurisdicción mexiquense.

—No me explico —comenté a un encumbrado elemento de la Policía Judicial Federal—, en dónde estaban los custodios del muchacho. Me da la impresión de que éstos son sus peores enemigos... a veces lo comprometen, como cuando agredieron salvajemente a un universitario en la discoteca Lady'O de la ciudad de México, y en otras ocasiones lo dejan solo.

—No en este caso. El chamaco les ordenó que se rezagaran... porque él quería estar a gusto, sin testigos.

—Es natural a su edad, ¿no?

—Depende. El primer junior estaba acompañado de un amigo. Dijo que quería conversar a sus anchas.

—Eso fue lo que vieron los patrulleros entonces. Y de ahí la extorsión...

—Imagínese: dos chamacos en un carro deportivo de lujo. Dinero seguro. Nunca imaginaron cuál era la alcurnia de los personajes.

—Y, por supuesto, Chuayffet aprovechó políticamente la oportunidad. Tapar un incidente como éstos tiene muy amplias recompensas. Así funciona el sistema.

Lo cierto es que Emilio Chuayffet llegó a la ansiada antesala presidencial, la Secretaría de Gobernación, unos meses después de haber sido eliminado en la búsqueda de un sitio en el gabinete. Al tiempo de que Esteban Moctezuma salió disparado hacia una terapia en Houston, el inteligente Emilio se preparó para ascender el último peldaño dejando encargado de la gubernatura desdeñada, la de una de las entidades más ricas de la República, al imberbe César Camacho Quiroz, un treintañero con escasa experiencia, salvo la anotada en la intimidad, y de cuyos vínculos nadie dudaba por evidentes. El amafiamiento en todas las direcciones.

En permanente actitud de pose, engolando la voz y con el cuerpo rígido amén de la mirada pretendidamente altiva, Camacho Quiroz no pudo hilvanar una sola frase cuando me dirigí a él en el despacho de Emilio Gamboa Patrón, otra de las grandes figuras controvertidas en el manejo de los pasajes turbios y las relaciones inconfesables:

—¿Cómo le va, señor gobernador? —saludé.

—Bien, muy bien...

—Aquí nos tiene escudriñando... ¿usted también?

—Ja, ja... pues, no. Visitando a los amigos, nada más.

Gamboa Patrón, habilidoso en todo momento, me pidió que pasara a su despacho antes de despedirse de César Camacho. Como cada llamada suya, en ocasiones sin motivo, me sorprendió por la premura. Días después, Gamboa Patrón, quien fuera estrecho secretario privado de Miguel de la Madrid durante todo el oscuro sexenio de éste, reclamaría a través del insustituible teléfono celular:

—No me ventanees, por favor. Somos amigos, ¿no?

—¿A qué te refieres?

—Volviste a citar lo de Marcelita Bodenstedt. ¿Para qué?

—Es un episodio que debe ser investigado. Faltan explicaciones no sólo acerca del espionaje manifiesto sino de los nexos entre ella, la mafia y los hombres del poder.

—Pero... ya me creaste otro problema familiar. ¿Es necesario?

—¿Quieres responder?

—Mejor déjalo de ese tamaño.

Marcelita, la presunta "novia" del franco-español Joseph Marie Córdoba Montoya, eminencia gris del periodo presidencial de Carlos Salinas de Gortari —1988-1994—, es todavía un serio dolor de cabeza para quienes la conocieron y la introdujeron a la intransitable cúpula del mando político. La rubia mujer, de formas espectaculares y rostro indefinido, fue ofrecida en bandeja a Gamboa Patrón por otro Emilio: el inversionista Díaz Castellanos, multimillonario yucateco a quien se privilegió con las disponibilidades del lapidario Fondo Bancario de Protección al Ahorro y ahora intocable en su calidad de incondicional de su triunfante socio, precisamente el llamado "chupón" Gamboa Patrón —el apodo responde a una característica peculiar: desde niño estaba "pegado a la botella" según la jerga propia de sus paisanos.

—Pero yo no sé por qué se me señala a mí —pretendió defenderse Gamboa durante su breve tránsito por la Lotería Nacional—. Marcela fue la novia de Córdoba y es él, en todo caso, quien debiera responder.

Lo que es evidente es la oscuridad del pasaje. Comprobada la relación de la señora Bodenstedt con el célebre "cártel del Golfo", encabezado por el aprehendido Juan García Ábrego, las "investigaciones" cesaron al publicitarse varias cintas grabadas, muy comprometedoras, conteniendo una llamada telefónica del presidente Salinas a su operador Córdoba Montoya, precisamente a la casa de Marcelita, y otra más, empalagosa y cursi, entre éste y la rubia.

—El "doctor" Córdoba —cuenta un confidente del mismo—, mató dos pájaros con una misma pedrada: amagó con ampliar la información respecto a los vínculos degradantes del sistema... y puso distancia de por medio acerca de su presunta homosexualidad.

—Bueno, ahora se habla de bisexualidad...

—Ya va por menos, ¿no cree usted?

Narcotráfico y cofradía. Alguno de estos dos elementos, o la combinación de ambos, resulta consustancial al político mexicano "del sistema". Pocos, dadas las circunstancias, son ajenos a tal condicionante. Vicente Fox Quezada, el guanajuatense que abrió el juego de la carrera sucesoria constituyéndose en el protagonista de la más larga campaña presidencial de la historia, no pudo evitar un sobresalto cuando, en la presentación de *El gran simulador* —Grijalbo, 1998—, aventuré:

—¿Cuántos gobernadores tienen la mano metida en el narcotráfico? Sólo por eso se sostienen.

—Aclara —interrumpió Fox— que no son todos; no vaya a ser el diablo.

—Me parece —complací la petición— que el gobernador de Guanajuato no cojea de este pie.

No pueden decir lo mismo, entre otros, Manuel Bartlett, quien terminó su mandato en Puebla para sumarse febrilmente a una frustrante precampaña por la candidatura priísta a la primera magistratura, y Víctor Cervera Pacheco, el yucateco que truncó el espíritu del Constituyente, al reelegirse, en un personal festín de ilegalidad bajo el signo de la política rupestre.

Son inexplicables la altanería y suficiencia de Bartlett cuando sobre él, pese a cuanto diga para esbozar una rutinaria defensa retórica, recalan todas las sospechas imaginables. Antonio Gárate Bustamante, cuando servía a la DEA estadounidense y tras la publicación de *Secretos de Estado* —Grijalbo, 1994—, me confió abiertamente:

—No sabe usted cuántas veces hemos pensado en actuar tal y como usted sugiere en su libro. Sólo que lo suyo es una supuesta novela y lo nuestro una realidad aplastante.

En la obra de referencia los "marines" estadounidenses, sumados a los agentes de la inefable DEA, invaden "Los Querubines" y apresan al mandatario de la entidad. En Puebla, los estadounidenses extremaron su presencia y optaron por la discreción diplomática en espera de ciertos acomodamientos "naturales". Y así, Bartlett llegó al extremo de autopostularse "para la grande" esgrimiendo bravatas y eludiendo los argumentos. Por ejemplo, en una reunión con cuarenta periodistas, Mario Rosales Betancourt, colaborador de la Organización Editorial Mexicana y del diario *La Afición*, le espetó:

—Usted dice que sólo levanta sospechas por el caso Buendía, las implicaciones de José Antonio Zorrilla, y sus presuntos contactos con la mafia; y que ya ha contestado a todo, superando la maledicencia. Pero hay más: por ejemplo, el crimen contra Carlos Loret de Mola en 1986.

—¡Ah! —replicó con un dejo de sorna—, eso es sólo una novela muy bien comercializada por su hijo. La realidad es otra: el señor Loret iba muy alegre con una novia y se accidentó.

Le respondí, por supuesto, desafiándolo: si tal es su seguridad respecto a la versión oficial por él fabricada cuando fungía como secretario de Gobernación, estoy presto a una confrontación de pruebas de cara a la opinión pública; porque cada hipótesis por él sostenida, intentando siempre ensuciar a la víctima como es rutina de los hijos del sistema, ha sido ampliamente analizada y superada —*Denuncia. Presidente sin palabra*, Grijalbo, 1995—. En cambio, pese a su socorrida prepotencia, el señor Bartlett no ha podido desligarse de las mayores acusaciones:

—Te va a denunciar, Rafael —me puso al tanto Gustavo Armenta, director de la revista *7Cambio*—. Parece que en una entrevista radiofónica te excediste y ya tienen la grabación en Puebla. Bartlett está furioso y dice que es su oportunidad.

—Pues que proceda, Gustavo. Quizá en tribunales él corra más riesgos que yo.

Sucedió que al finalizar la presentación de *Galería del poder* —Océano, 1996—, en la Calesa de Londres, un reportero solicitó que ampliara mis señalamientos en relación con el entonces gobernador de Puebla. Agregué a lo ya expresado:

—En Estados Unidos hay expedientes suficientes que prueban la vinculación de Bartlett con el narcotráfico. Me pregunto por qué ninguna autoridad mexicana siquiera investiga al respecto. ¿Será acaso porque la suciedad llega muy arriba?

—¿Usted cree que sea miembro de la mafia?

—Todo indica que sí.

Desde luego los consejeros jurídicos de Manuel Bartlett lo convencieron para que limitara sus rabietas e ignorara el pasaje. No procedieron como habían insinuado buscando, torpemente, amedrentarme.

Y, al callar, concedieron. Considerando esta circunstancia es obvio que la precipitada autonominación del personaje, mucho antes de que finalizara su responsabilidad en la sacrificada Puebla, convulsionada por las catástrofes naturales y la corrupción que impide siquiera contar con recursos para sortear los dramas previsibles, respondió a un propósito medular: proteger y defender los intereses de la peor mafia de todos los tiempos con el país como rehén.

Las historias se conectan. Cuando Bartlett pretendió lanzarse a su primer fallido abordaje presidencial, en el último tramo del malhadado sexenio de Miguel de la Madrid, pidió al entonces delegado apostólico, Girolamo Prigione, su intervención:

—Excelencia... necesito casarme por la Iglesia.

—Eso está muy bien, señor secretario. ¿Quiere usted que yo oficie el matrimonio?

—Más que eso. Antes es necesario que la Santa Sede anule el primer matrimonio de mi esposa. Sólo así quedaría libre para el enlace religioso, según entiendo.

—Usted sabe que eso es bastante complicado y depende de condiciones diversas; por ejemplo, de si la peticionaria, en este caso, tuvo o no descendencia.

—Pero, ¿podrá arreglarse?

—Por la importancia del caso, creo que sí.

Y Bartlett obtuvo la bendición no sólo del alto prelado mencionado sino también del jefe del Estado Vaticano. Como padrinos le acompañaron, entre otros, el presidente De la Madrid y su influyente secretario privado Emilio Gamboa Patrón. Por cierto, también éste, institucional según solía decir, se acercó a Prigione por aquellas fechas:

—Voy a bautizarle a su hijo —me confió el inteligente religioso italiano, quien ahora vive en Alessandria en su Piamonte natal—. Pero me extraña que no sea Bartlett el padrino.

—¿Quién es el señalado, excelencia?

—El "ministro" de Programación, Carlos Salinas de Gortari. Por cierto, éste es el único de los posibles precandidatos a la presidencia que no me ha visitado. Dicen que está muy influenciado por un tío suyo, Elí de Gortari, muy liberal y anticlerical. Es lamentable porque su madre es muy buena cristiana. Pobrecito: debe haber tenido un serio conflicto de conciencia.

Boda y bautizo se celebraron en la mayor intimidad... con cruzadas señales políticas. Pero el acercamiento con la jerarquía eclesiástica no fue óbice para que el propio Prigione, en presencia de un primo hermano de Gamboa Patrón, mi ex cuñado José Patrón Juanes, me revelara de modo sorprendente:

—Me informaron que el presidente De la Madrid tiene un rincón privado en la calle contigua al hotel Camino Real. Ahí celebra sus fiestecitas y le acompañan siempre su secretario Emilio Gamboa y el señor Salinas de Gortari.

—¿Ellos solos?

—Así me lo han dicho. Un poco extraño, ¿no?

Su primo Pepe aguardó a que Prigione se retirara para, sin ocultar su ansiedad, consultarme:

—Monseñor sabía de mi parentesco con Emilio. Se lo dijiste cuando me presentaste. Ni modo que no lo tuviera en cuenta.

—Quizá Prigione quería que tú escucharas la versión... para medir la capacidad de respuesta de Emilio.

—¿Se lo cuento a mi primo?

—Ésa es tu decisión.

No es casualidad que la consolidación de "cárteles" y "capos" se diera durante el lapso delamadridiano, ni que en la misma época los rumores acerca de las singularidades de conducta de varios funcionarios amafiados revelaran los perversos hilos conductores. El capítulo de las amantes influyentes, cuya cúspide es Rosa Luz Alegría, ex secretaria de Turismo entronizada por el seductor José López Portillo a su paso por la presidencia —1976-1982—, cedió ante la presencia de los jovencitos de finas maneras y remilgados en las antesalas claves. La costumbre se iría acrecentando.

Una muestra. Unos días después de la designación de Otto Granados Roldán, responsable de la imagen periodística del doctor Carlos Salinas en su primera etapa presidencial, como candidato del PRI al gobierno de Aguascalientes, visité a José Carreño Carlón, quien ocupó el lugar del primero en la Dirección de Comunicación Social en la sede de Los Pinos, la casona usurpada a Chapultepec para solaz de los jefes de Estado.

—Oiga, don José —le comenté—. Me parece que le han dejado alguna herencia.

—¿Por qué lo dice?

—Por los chamaquitos esos que tiene usted por doquier. No los habrá traído usted, ¿verdad? Sinceramente causan una impresión no muy grata: parece obsesivo su amaneramiento. ¿No lo ha percibido?

—Pondré más atención —respondió, incómodo.

Los ujieres singulares no se fueron. Un toque de distinción para muchos si asumimos la réplica quejumbrosa de Salvador Novo, el extinto primer cronista de la ciudad de México, cuando reprochó a sus comensales por sus conquistas femeninas:

—Ay sí, muy hombrecitos, ¿no? Presumen por seducir a unas chiquillas tontas. Lo difícil, lo de hombres... ¡es enamorar soldados!

Nuestros políticos son sofisticados, sin duda. Tanto que no se detienen ante los desafíos, digamos, internacionales. Una muestra: durante el periodo de Miguel Alemán Valdés —1946-1952— el campechano Tomás Marentes, a la sazón director de la Lotería Nacional, la gran "caja chica" de los presidentes, ideó una brillante manera de acceder a la gubernatura de Yucatán pese a no ser yucateco y con cierto ánimo de revancha regionalista:

—Señor, quiero hacerle un regalito —le dijo Marentes al "primer mandatario"—. No me lo tome a mal: es sólo para demostrarle mi afecto y mi admiración.

—Vamos a ver, Tomasito. ¿De qué se trata?

—Le suplicaría que me obsequiara parte de su tiempo, señor presidente. Quizá esta misma tarde cuando su agenda lo permita.

—¿Y por qué la urgencia, Tomasito?

—Bueno... usted me entenderá cuando descubra la sorpresita, señor.

—Suena muy misterioso. Pero, en fin, te daré gusto. Pasa por mí a las diez de la noche.

Marentes preparó el terreno a conciencia. Antes de la cita con el jefe del país se esmeró por entregar otros "cariñitos", autos último modelo incluidos, a cada uno de los miembros de la "primera familia" y muy especialmente a Miguelito, el "cachorro"... de la Revolución. Llegada la hora, el diligente funcionario condujo al presidente Alemán hacia una espléndida residencia ubicada en las Lomas de Chapultepec.

—Es suya, señor.

—¡Pero, Tomasito! ¡Es una barbaridad!

—¿Le agrada, señor presidente?

—Desde luego, querido amigo.

—Aquí están las llaves señor. ¡Ah! Y lo mejor está adentro.

—Me imagino que te habrás esmerado en la decoración. Con tu buen gusto, claro.

—Algo más que eso, señor. Pase usted y, por favor, suba a la recámara principal.

—¿Qué tienes escondido ahí, Tomasito? Si me gusta... los yucatecos tendrán un gobernador de lujo.

—Será un honor, señor.

El mandatario, sonriente y ansioso, aceptó llaves y buenos deseos, abrió la puerta de la casona y subió las escaleras de dos en dos, como lo había hecho en la vida pública. El hallazgo, desde luego, no pudo ser mejor: en la alcoba le aguardaba, nada menos, una espléndida rubia europea, ganadora de varios certámenes de belleza y llena de vida y pasión. Tomasito Marentes, claro, fue nominado candidato a gobernador —y asumió el cargo por supuesto—, y la joven dama tuvo a sus pies un reino.

Por cierto, tiempo después, Miguelito, el heredero del alemanismo y actual gobernador de Veracruz, contrajo nupcias también con una triunfadora: la "Miss Universo" Christianne Magnani (Martell es su nombre artístico) quien ancló para siempre entre los mexicanos. Todavía hoy, cuando la distinguida señora está por encima de suspicacias, los asesores del mandatario veracruzano se incomodan cuando se habla del indiscutible paralelismo entre padre e hijo. Por ejemplo, luego de recordar el episodio contado líneas arriba con motivo de la entronización del "cachorro", no faltaron algunos telefonemas de los colaboradores del nuevo abanderado de la Revolución "triunfante". A mi hermano Alberto, corresponsal de *Excélsior* en Xalapa, pretendieron convertirlo en correo:

—Dígale a Rafael —solicitó un testaferro infaltable— que deje a un lado la vida privada. No se vale. La gente especula, hila cabos sueltos...

—Él sólo contó lo del *affair* de don Miguel con la exuberante europea. Ni una sola línea más.

—Pero... como la señora Magnani fue en su tiempo reina universal de la belleza hay quienes se imaginan que...

—¿Lo aclaramos?

—Mejor déjelo como está. Pero, ¡no se vale!

(Tomás Marentes, por cierto, fue repudiado por los yucatecos, quienes lo obligaron a renunciar a la gubernatura dos años después de su infecunda asunción, perdidos el respeto y el decoro elementales. Una noche, tras asistir el virrey alemanista a una recepción, éste entró a su vehículo que había sido, con la complicidad del chofer, cubierto con estiércol por dentro y por fuera. Cuando se percató de la afrenta, Marentes intentó reaccionar pero una turba le cerró el paso gritando: "Campechano..., ¡come caca y bebe hüich" —orín según el caló local—. Y, desde luego, Tomasito no resistió más.)

El tabú de la vida privada es muy socorrido por cuantos pretenden formalizar un nuevo *status* a partir de la confusión o la ignorancia general. Que no se sepa el pasado, o lo menos posible, para apostarle a la amnesia de un pueblo habituado a aceptar consignas y candidatos con la mínima intervención. Y se habla de modernidad al tiempo que se fustiga a quienes osan superar las líneas preestablecidas tratando de encontrar las claves para explicarnos la historia reciente del país. No hace mucho, con motivo del escándalo sexual en la Casa Blanca aireado por una becaria experta en habanos, me preguntaron durante un diálogo radiofónico:

—¿En México no ha aparecido nunca una señorita como la ya célebre Mónica Lewinsky?

—Abundan —respondí—. Sólo que aquí todo es soterrado, oculto. Eso sí le digo: de haber operado en Los Pinos la señorita Lewinsky ¡ya sería secretaria de Turismo!

Calculadora, fría, rabiosamente atractiva, Rosa Luz Alegría es, en el escenario público nacional, el mejor escaparate de lo que Margarita Michelena llamó "el nepotismo hormonal". Todos saben su historia: arrancó como compañera de Marcelino Perelló, uno de los dirigentes estudiantiles del movimiento de 1968, para aburguesarse después en los brazos de Luis Echeverría Zuno, hijo del ex presidente, y confluir, de manera automática como quien brinca de sexenio a sexenio, a las gregarias heredades de José López Portillo, quien la encumbró como la primera secretaria de Estado en la vida política de México, precisamente como encargada del rubro turístico.

La dilecta funcionaria, al acercarse el fin de la administración lópezportillista, cuando tantas lágrimas se derramaron, incluyendo las del presidente en turno, a la par con las devaluaciones y los saqueos de divisas, intentó sumarse al carro de los adoradores del señalado sucesor, Miguel de la Madrid, con los vuelos aristocráticos característicos en la cerrada élite del priísmo, ayer, hoy y por siempre.

—Miguel, ¿vas a necesitarme? —preguntó Rosa Luz, una y otra vez, al ungido candidato con risueño acento y seductor encanto.

—Ya hablaremos más adelante —respondió en cada ocasión el aludido en tanto duró la influencia de la "ministra" a la vera del presidente en funciones—. Te agradezco tu apoyo.

Y es que en cuestión de gustos y preferencias, don José y don Miguel no coincidían. Así, mientras la señora Alegría lanzaba anzuelos con el suave toque de la insinuación, los "niños-sabios" de la política, con Carlitos Salinas de Gortari a la cabeza y Emilio Gamboa Patrón como operador natural, establecían nuevos parámetros y condiciones no del todo ajenas al sinuoso devenir nacional. No fue extraño, en tales condiciones, que la bella Rosa Luz fuera llevada al ostracismo, infierno de los hombres públicos y las mujeres brillantes, del que ya no pudo salir pese a que no pocos admiradores intentaron rescatarla. La aventura terminó, pero echó raíces.

Siguiendo con la secuela, Dulce María Sauri Riancho de Sierra, matrimoniada con uno de los antiguos cabecillas de aquella inolvidable "Liga 23 de Septiembre" promotora del terrorismo en escala mayor, fue elevada al gobierno interino de Yucatán, tras una asonada contra Víctor Manzanilla Schaffer dirigida desde la mansión presidencial de Chapultepec, el 14 de febrero de 1991, el empalagoso "día del amor y la amistad". En cada extremo un rumor: en la órbita nacional, la cercanía indudable con Salinas de Gortari; en el plano peninsular, su afinidad con el cacique Víctor Cervera quien, años atrás durante su primer interinato —1984-1988—, solía presumir de su "conquista" más lucidora:

—Permítanme un momento —interrumpía con frecuencia la audiencia del día, sin importar la jerarquía de los interlocutores—. Me llama Dulce —por esos días en condición de presidenta del PRI estatal.

Y cuando el gobernador retornaba a la reunión, pasada una media hora, aparecía abotonándose la alba y arrugada guayabera.

—¿Contento, mi gobernador?

—Bueno... ya cumplí con mis otros deberes. Podemos seguir salvando a Yucatán.

En el Palacio de Gobierno, claro, Cervera habilitó su propia alcoba porque, según sus razonamientos, laboraba las veinticuatro horas. Y, entre turno en turno, espaciaba citas y encuentros con Baco. Folclor, le llaman algunos; abyección, otros. Porque el insustituible señor del Mayab jamás se ha detenido en aras de su permanencia. Ni en faldas ni en pantalones, para decirlo con claridad. Se deja querer mientras ello le reditúe. Como cuando caminó, estrechándose a lo largo del hangar oficial en el aeropuerto de Mérida, con un pletórico doctor Ernesto Zedillo Ponce de León quien reivindicó el cacicazgo, sepultando al espíritu del Constituyente, por pura simpatía:

—Gobernaré con Cervera hasta el año 2000.

Para Víctor, "el balo", intocable como otras figuras claves entremezcladas con la mafia y la cofradía, drogas y manos caídas de por medio, la sentencia resultó infeliz por lo perentoria. Y volteó a mirar al presidente como diciendo:

—Tú te irás, yo me quedo.

Lo mismo pensó Rosa Luz... y se fue. Los que permanecen, cubriéndose las espaldas, son cuantos conocen los secretos mejor guardados por el sistema, digo, por el gobierno. Porque es amortiguando a la verdad, convirtiéndola en media mentira, por discreción se entiende, como es posible venderle al pueblo de México la imagen de la familia feliz, tan limpia que puede renovarse cada seis años sin perder, desde luego, los hilos conductores.

¿Cuáles son tales misterios y tales vasos comunicantes? De eso se trata el libro que tienen ustedes, amables lectores, en sus manos. Anímense a proseguir con la lectura.

2. Los presidentes

—¿Para qué quiere ver al presidente? ¡Aquí está su secretario de Gobernación!

Manuel Bartlett Díaz, responsable de la política interior del país durante el lapso en el que se produce el *boom* del narcotráfico y la arribazón de los acicalados jovencitos rebosantes de ambiciones y tecnicismos —1982-1988—, ligados entrañablemente a los hombres del poder, época caracterizada también por los crímenes contra más de 40 periodistas a quienes pretendió desprestigiarse luego de ser victimados, no dejaba pasar ni el aire. Filtro insustituible, manipulador nato, el hombre de la patibularia mandíbula con aire de insoportable petulancia, disfrutaba de su cercanía con el "gris" mandatario Miguel de la Madrid, humillando a sus interlocutores y chantajeando al propio "primer magistrado".

—No es necesario ver al jefe del país para cualquier nimiedad, señor gobernador —continuó el "ministro" elevando la voz—. Los conflictos de su estado son de poca monta al lado de la problemática nacional.

—Señor secretario —replicó el visitante, el veracruzano Agustín Acosta Lagunes, veterano economista muy hábil en el terreno de las inversiones y los juegos bursátiles—, le esperé en la antesala por tres horas. Y lo hice sólo para comunicarle una decisión personal.

—A ver, gobernador. ¿Qué trae usted entre manos?

—Le aviso que no volveré por aquí. No tengo razón para hacerlo ni pretendo importunar al señor presidente. Me voy, señor secretario, y que pase usted un buen día.

¿Cómo logró Bartlett tanto poder? En sus manos estuvo siempre el control, no en las del señor De la Madrid, quien luchaba, según decía, por evitar que el país se le deshiciera. Sin embargo, pese a la fuerza acumulada aprovechando las omisiones de su jefe institucional, el entonces "señor de Bucareli" no alcanzó la ansiada nominación presidencial. ¿Por qué?

—Señor, cuento con información delicada —comunicó al presidente De la Madrid—. No convendría, de modo alguno, que saliera a la luz pública.

—Sobre la mafia, me imagino.

—También acerca... de usted, señor presidente. No me gustaría hablar de más.

—No... no tiene por qué hacerlo, Manuel —titubeó el mal llamado jefe de las instituciones nacionales—. ¿De qué se trata?

—Yo debo ser el candidato, señor. Yo y no Carlitos Salinas. También él y sus familiares han sido investigados. Tengo amplios expedientes al respecto. No quisiera...

—Tranquilo, Manuel. No es necesario. Entiendo.

—No diré nada, señor presidente.

Bartlett no llegó a buen puerto; Salinas, sí. Es obvio que para contrarrestar al primero, cuya insolencia no habría sido concebible en otros tiempos, el señor De la Madrid debió recurrir a una negociación extrema... con la Casa Blanca. Acuerdo de por medio, el "joven sabio" encargado de la Secretaría de Programación y Presupuesto, ahora extinta, mereció el aval y cumplió sobradamente con las condiciones impuestas: puertas abiertas a los estadounidenses a cambio de una discreta, soterrada complicidad.

Sólo así fue posible disciplinar a Bartlett, consolado con otro ministerio, el de Educación, y la gubernatura de Puebla posteriormente, en tanto llegaba una nueva, segunda oportunidad para lanzarse al abordaje... ¿o al vacío? La maniobra fue de gran envergadura y rebasó, incluso, a los más íntimos colaboradores de Miguel de la Madrid, entre ellos su amigo incondicional, Ramón Aguirre Velázquez, entonces regente de la ciudad de México y a quien se colocó, acaso para cumplimentar una cálida y fraternal promesa, en la célebre lista de "los seis" supuestos aspirantes a la candidatura del PRI en pos de la presidencia de la República en 1987.

—Si Bartlett se queda en Gobernación —me dijo Aguirre Velázquez en vísperas del "destape" de Carlos Salinas como abanderado priísta—, ¡es capaz de matar al candidato!

—Me parece que no podemos descartarlo todavía, don Ramón.

—¡Eso está hecho! Bartlett no será. El presidente lo conoce muy bien, demasiado bien... y sabe lo que iría en juego.

—¿Qué, don Ramón?

Aguirre, sin perder la compostura, cortó por lo sano, se levantó de la mesa en donde habíamos paladeado un regio convite yucateco, en casa de Carlos Capetillo Campos, aspirante eterno al gobierno de su entidad, y deslizó un intencionado comentario:

—Me espera el señor licenciado Salinas en su despacho. No puedo retrasarme.

El inusual acento de respeto, extraño en un personaje que presumía de "picarle las costillas" al propio presidente De la Madrid —y algo más, por detrás—, era en sí una revelación: Salinas, a no dudarlo, era "el bueno". Y como a tal se le trataba durante el complicado periodo de transición.

No obstante, pese a la advertencia de Aguirre Velázquez, no se produjo cambio alguno en la alta dependencia política hasta el final del periodo delamadridiano. Y Bartlett condujo los comicios, en su calidad de presidente del Consejo Federal Electoral, hasta la precaria culminación de éstos y la inolvidable "caída" del sistema de cómputo. Una anécdota, sí, que perfiló, para siempre, la enfermiza relación de los principales actores del círculo de Miguel de la Madrid.

—Anote un nombre —solicitó Héctor Berreyes, comandante del grupo "Leyenda" al servicio de la DEA estadounidense que no respeta fronteras pero sí consignas—. Federico de la Madrid.

—¿El segundo hijo de don Miguel?

—El mismo. Está metido hasta el cuello en el narcotráfico. Es uno de los personajes claves en todo esto.

—¡Caramba, don Héctor! No le veo tamaños al muchacho. Se habla de que ha sido buen estudiante, pero nada más.

—Es quien maneja los negocios familiares y realiza las conexiones sucias.

—Pero... es demasiado cercano a don Miguel. Cualquier error, por pequeño que éste fuera, exhibiría al padre.

—Ya no les importa eso. En serio.

Federico actuó a sus anchas mientras su hermano Miguel, matrimoniado en 1999, no escondía otras debilidades. Para nadie fue un secreto la extraña convivencia que se dio en Los Pinos, la residencia oficial, durante el periodo que nos ocupa.

—Doña Paloma —me confió un servidor de aquella "primera dama", la señora Cordero de De la Madrid, con justa fama de estricta en cuanto a la moral y las apariencias— no tuvo más remedio que aceptar al muchacho.

—¿En qué sentido?

—Bueno, Miguel hijo vive con un chico sudamericano, muy moreno y fornido. Y ahora ya no salen de la casa presidencial.

—¿Les han asignado una alcoba?

—Sí. Al principio sólo se presentaban a las cenas familiares juntos; después, por seguridad según nos informaron los oficiales del Estado Mayor Presidencial, se decidió que cohabitaran en Los Pinos.

—¿Y doña Paloma?

—Se lleva muy bien con el muchacho. Eso parece cuando menos.

Durante algún tiempo, antes de la bendición familiar, Miguelito De la Madrid Cordero solía encerrarse en un cómodo *penthouse* ubicado en la avenida de los Insurgentes sur, en la ciudad de México, precisamente frente al popular Parque Hundido. Una tarde, uno de los arrendatarios del edificio me pidió que acudiera al mismo para cerciorarme. Lo hice y los vi. Con el apoyo de varios guardias del Estado Mayor, los jóvenes, abrazados sin rubor, subieron por el elevador.

—Al rato comenzará el escándalo —señaló el hastiado vecino—. Y en la madrugada saldrán a rastras.

—¿Ya han informado a las autoridades locales?

—Lo hemos hecho, pero no nos hacen caso. Entendimos la razón cuando alguien nos dijo que se trataba del hijo del presidente. ¿Es él, verdad?

—No hay duda. ¿Siempre se reúnen sólo jovencitos?

—No aparece una falda ni por equivocación.

Por su parte, Miguel padre, el presidente, desahogaba con frecuencia las tensiones propias del ejercicio gubernamental, deleitándose con la compañía de hombres de talento en los que refugiaba, admirándolos, su acendrada mediocridad. Uno en especial, de muy altos vuelos como escritor y poeta, solía compartir con el mandatario las horas de solaz ofrendando su libertad de pensamiento a la comodidad que concede el contubernio, sobre todo el íntimo, con quien ejerce el poder.

—¡Mira! ¡Mira estas fotos! —exclamó el director de un semanario acaso en demanda de aprobación—. ¡Tenemos una bomba!

—Parecen el presidente... y el poeta. Pero, no entiendo por qué están disfrazados con vestimentas egipcias.

—Así son las fiestecitas que organiza el señor. ¿Ya viste? Don Miguel parece Cleopatra. Sólo le falta la tina rebosante de leche de cabra.

—La sugerencia no es mala y hasta podrían agradecértela. ¿Te animas a publicar las gráficas?

—¿Qué opinas? Me dan muchas ganas... pero no estamos preparados para una reacción en cadena.

Y las fotos, por supuesto, no salieron a la luz. Acaso podrían haber formado parte del expediente utilizado por Manuel Bartlett para amedrentar a su jefe y pretender con ello ganar, nada menos, la silla grande en pleno quebranto de la moral política. Si a tales extremos llegamos no extraña que, al mismo tiempo, se protegiera a los poderosos "capos" a lo largo de la geografía patria.

—Sumemos nombres —pedí al amable auditorio del Palacio de Minería, convocado para la presentación de *El gran simulador* y con la presencia del gobernador de Guanajuato, Vicente Fox Quezada—: Rubén Zuno, cuñado del ex presidente Luis Echeverría; Federico de la Madrid, hijo de don Miguel; Raúl Salinas de Gortari, el hermano mayor del inolvidable Carlitos; y ahora se menciona a los hermanos Verónica y Rodolfo Zedillo Ponce de León, cófrades del mandatario en turno. ¿Es esto obra de la mala fe o una simple coincidencia? Además, ninguno responde.

—Sólo le falta —replicó una voz entre el público—, el sexenio de José López Portillo. ¿Se salva?

—Pues no. Si bien los "orgullos" del nepotismo de don José no han sido materia de sospechas en este campo, algunos de quienes fueron sus colaboradores sí lo son. Por ejemplo, Carlos Hank González.

El ex presidente López Portillo, quejumbroso de la "jauría" que no supo acompañarle en la fallida defensa del desplomado peso mexicano durante 1982, el año del mayor saqueo de divisas en la historia del país, arguyó:

—No tengo capital. Vivo, en buena medida, acogido a la generosidad de mis amigos.

La aseveración, formulada apenas tres años después de haber dejado la máxima responsabilidad ejecutiva, confluye hacia otra, más reciente, cuando le pedí, el viernes 19 de junio de 1998, apenas dos días después de su cumpleaños número 78, que hiciera un breve repaso de su condición:

—Escribo en *El Universal* porque me pagan. Lo necesito. No es por entretenerme.

—¿No cuenta usted con recursos suficientes?

—No. Mis hijos, además, me quieren despojar de todo. Ya me arrebataron mi casa de Acapulco.

—¿La que le obsequió el sindicato petrolero?

—Esa misma. Y no me arrepiento de haberla aceptada. Faltaba más. Alguna compensación debemos tener los presidentes que no robamos.

—¿Qué pasa con sus hijos?

—Cometí el error de heredarles en vida y ahora me tratan como trapo viejo. Comprendí demasiado tarde que la felicidad sólo está en torno a nosotros, en el circuito cercano. Ahora, desde luego, junto a Sasha —Montenegro—, mi mujer.

—¿Siguen facilitándole dinero sus amigos?

—No; ahora recibo una pensión oficial, modesta. Cincuenta y seis mil pesos mensuales. ¿Qué puedo hacer con eso? Le he pedido al presidente Zedillo, en una carta, que reconsidere y me aumente algo. Por eso no puedo, ni debo, abrir la boca.

López Portillo, avejentado, escudriña, observa con detenimiento, mide. Tiene un brazo paralizado, pero no se deja abatir:

—Hace dos años todavía estaba pleno. Y, de pronto, una "burbuja" cerebral me dejó en este estado. Menos mal que todavía puedo aplaudir... y eso es muy importante en política.

Con un gesto risueño, el ex mandatario toma con la diestra el brazo izquierdo inmóvil y lo alza para poner el punto final al singular sarcasmo. Y continúa:

—Fíjese que nadie, eso sí, se ha atrevido a señalarme como narcotraficante. Ni a mí ni a mis familiares.

—Pero dejó algunas cuestiones pendientes, señor. Como, por ejemplo, aquella lista de saqueadores que ofreció poner a disposición de la opinión pública cuando finalizara septiembre... de 1982.

—La tengo. La guardo en mi caja fuerte y puedo darla a conocer cuando lo estime conveniente.

—¿Por qué no ahora?

—Hay algo muy doloroso que no puedo justificar. En la relación de nombres aparecen los de algunos de mis colaboradores más cercanos. Miembros de mi gabinete, se entiende.

—¿El de su sucesor, por ejemplo?

—No precisamente. Pero él me pidió, a través de Miguel González Avelar, quien era el enlace con De la Madrid cuando éste ya tenía la condición de presidente electo, que no difundiera la lista.

—¿Cuál era el argumento, señor?

—Que se crearía un clima de inestabilidad incontrolable. En realidad él ya había negociado con los banqueros, con todos esos que se habían llevado el dinero fuera de México.

—De la Madrid revirtió la nacionalización bancaria. ¿Fue un error aquella medida, don José?

—¿Y cómo podemos concluir algo al respecto si De la Madrid no permitió que diera algún fruto? Debiera determinarse a quién corresponde la mayor responsabilidad.

En otra ocasión, el ex presidente López Portillo, a manera de sentencia, esgrimiría respecto a quien le sucedió en la titularidad del Ejecutivo federal comparándolo con Carlos Salinas cuando éste despachaba en Los Pinos:

—Salinas cruza el campo llevando los huevos en la misma canasta; Miguel, en cambio, pretendía saltar el muro dejando la mitad de los huevos de un lado y conservando sólo la mitad para caer del otro... ¡y así no se puede gobernar!

—Pero tiene fama de honrado, señor. Él no se construyó una mansión como ésta...

—Sí, yo cometí la tontería de crecer hacia afuera. Lo que construí, con el apoyo de mis amigos, sobre todo del profesor Carlos Hank González, lo puede ver cualquiera. En cambio Miguel creció hacia adentro: compró casi todas las casas de la manzana en donde tiene su casa en Coyoacán y nadie se enteró. Fue, como en todo, más hábil que yo.

¿Amargura? La tienen todos cuantos han pasado por la presidencia, incluido el poderoso Carlos Salinas quien desafía al sistema, a su endeble sucesor sobre todo, a cambio de no provocar otros sacudimientos que pudieran ser incontrolables. Como cuando, desde un supuesto ostracismo, alimentó el rumor de un golpe de Estado en 1996 para hacer sentir su influencia en el ámbito de las finanzas y en el ánimo de los dueños del gran capital.

¿Cuáles han sido y son los móviles del doctor Salinas, el mexicano más controvertido a lo largo de la segunda mitad del siglo XX y quizá de toda la centuria? Para algunos, poseedor de una brillante inteligencia, tenía en sus manos todos los controles; otros, pese a las alianzas que mantuvo y mantiene el ex presidente, expresan severas dudas acerca de su liderazgo. Ricardo Canavati Tafich, millonario de Monterrey y uno de los protagonistas de la historia reciente por su cercanía con dos figuras claves en el entorno nacional —Luis Donaldo Colosio y Raúl Salinas de Gortari, nada menos—, sobreviviente político en el escenario actual pese al doloroso destino de tales amigos —asesinado uno, encarcelado otro—, me confió:

—La gran tragedia familiar de los Salinas se desencadenó a la muerte de doña Margarita, la madre. Porque, sin duda, ella gobernaba en el apretado círculo; después del deceso de ésta comenzaron los conflictos.

—¿Y el padre, don Raúl Salinas Lozano?

—Es querido por sus hijos... pero sin que influya sobre ellos. Quizá perdió el respeto y la confianza de los suyos a la par con sus correrías de permanente seductor. Y, de hecho, nunca se ocupó por cubrir los vacíos que dejaba.

(Un episodio paralelo corrobora lo anterior. Cuando Marta Chapa, artista de renombre y ligada sentimentalmente a don Raúl, pidió al presidente Salinas que interviniera para evitar el acoso de los medios y los rumores deplorables, éste le respondió con un dejo de inocultable sarcasmo:

—Marta, no te preocupes. Ya sabemos cómo es papá; lo saben todos. Nada de lo que él haga nos afecta.

—Pero es que nos ensucian, señor presidente.

—Sólo lo harían si le damos importancia a lo que dicen.

Y Carlos Salinas sonrió entrecerrando los minúsculos ojos antes de acompañar a la pintora hasta la puerta de la oficina presidencial.)

Canavati, diputado federal y vicecoordinador de la bancada priísta a lo largo del trayecto final del sexenio de Ernesto Zedillo y en quien algunos quieren ver vínculos inconfesables, rompió con Raúl Salinas de Gortari cuando en la casa del primogénito de los Salinas se atrevió a cuestionarlo:

—Mira, Raúl: lo mejor es que te vayas. Aléjate del país ahora que todavía tienes los "pelos de la burra" en la mano.

—¡No te metas en lo que no es de tu incumbencia! Yo procedo como me da la gana.

—Pero has realizado algunos negocios extraños, por decir lo menos. Y has dejado huellas.

—¡Mi hermano es el presidente, carajo! No me van a tocar. Nadie se atrevería.

—Por ahora, Raúl.

—Nunca lo harán. Vamos a ver, ¿quién te mandó a decirme estas cosas? ¿Fue Colosio, verdad?

—No tienes por qué gritarme. Aquí le paramos.

Según su propia versión, Canavati salió indignado de la residencia de Raúl con la amistad fracturada para siempre. Tenía, desde luego, otra carta en la mano.

—Cuando faltó doña Margarita —continúa Canavati su análisis—, Raúl tomó el timón de mando. Y lo secundaba Adriana, la única hermana. El presidente era uno más en la mesa.

—Sin embargo, Carlos y Raúl se entendían, ¿no?

—Algo comenzó a suceder a partir de entonces. Antes era frecuente observar al presidente y a su hermano entrar y salir de Los Pinos intercambiando opiniones y acuerdos; después la relación se enfrió y tomaron distancia.

—Luego vendría el crimen contra José Francisco Ruiz Massieu, el ex hermano político de ambos.

—Ése fue un golpe al corazón del presidente.

Canavati distrae la mirada, encoge los hombros y abrevia:

—Ya sabrás, Rafael. Poco a poco.

Existe un hecho incontrovertible en la densa relación de los Salinas con "Pepe Pancho" Ruiz Massieu. A partir de la separación matrimonial de éste y Adrianita, tan tortuosa que fue capaz de envolver a un buen número de comunicadores en las redes de su "Editorial Azabache", los miembros del poderoso clan se alejaron de quien llegaría a ocupar la gubernatura de Guerrero con el favor del único miembro de la familia que no le retiró aval ni simpatía: Carlos, el mandatario. Adriana, por cierto, aireó la homosexualidad de José Francisco como causal del divorcio "necesario" sin que mediara ambición económica en alguno de los cónyuges.

Una versión apunta hacia un capítulo muy significativo. Una noche, hastiada, Adriana regresó a su casa antes de lo previsto y entró a la alcoba principal:

—¿Con quién estás, maricón? —gritó la señora, fuera de sí, al tiempo de "destapar", literalmente, a su marido y a un misterioso amante.

Días después los tribunales de lo familiar conocieron el caso. Pero Carlos no dejó de apoyar a su ex cuñado ni de profesarle un cariño muy especial. Tanto que no fueron pocas las ocasiones en las que, siendo Carlos presidente y Pepe Pancho gobernador, se encontraron, libres de agendas, en algún paraje evocador en las bravas heredades de Guerrero.

—A veces —me dijo uno de los operadores de las giras oficiales—, el presidente Salinas forzaba el itinerario y lo cambiaba para que, al final de algún recorrido, tuviera tiempo libre para ver al señor Ruiz Massieu.

—¿Nadie les acompañaba?

—Generalmente no. Pero no me consta nada más.

Por ello resulta inquietante el proceder de procuradores y fiscales encargados de ahondar en el tenebroso caso Ruiz Massieu, quienes, una y otra vez, han evitado cruzar el umbral de los escabrosos antecedentes personales de la víctima que pudieran confluir hacia los linderos del amafiamiento.

Al procurador Jorge Madrazo Cuéllar, el segundo abogado de la nación a la vera del doctor Zedillo y sustituto del panista Antonio Lozano Gracia, quien no pudo superar su filiación partidista entrampado en las redes del sistema, le pregunté al respecto:

—¿Sigue usted alguna línea sobre las preferencias personales del señor Ruiz Massieu y las posibles implicaciones de las mismas en el homicidio?

—También lo estamos investigando.

—¿Por qué no se hace público?

—Para no entorpecer las pesquisas.

No obstante, es evidente que la mayor parte de las averiguaciones se han filtrado a los informadores; no así lo relacionado con las particularidades de conducta de los presuntos involucrados. ¡Y hay quienes alegan que no debe escudriñarse en la vida privada para resolver los escándalos públicos! ¿Cómo, entonces, sería posible resolver los crímenes pasionales? ¿Y las *vendettas* surgidas de las intimidades mancilladas y los amores frustrados? En este terreno hemos llegado, sí, a la peor cursilería procesal imaginable bajo el tabú de la privacidad intocable.

—José Francisco no era homosexual —alega quien fuera su abogado, Javier Olea Peláez.

—Adriana Salinas lo señaló por ello...

—Sí, pero fue para ocultar la verdad: a ella la descubrió José Francisco en flagrante infidelidad con un mozalbete, un auténtico hippie; los vio bajando por la escalera de su casa y se hicieron de palabras. De ahí salió Adriana dispuesta a ensuciar a su marido... y lo hizo.

Las historias confrontadas confunden; pero tal es la razón para investigarlas exhaustivamente, sobre todo cuando se ha presentado el homicidio perpetrado en las calles de Lafragua en la ciudad de México, el 28 de septiembre de 1994 —a dos meses de distancia de la "institucional" transmisión del Poder Ejecutivo Federal—, como una cuestión que involucra a la seguridad del Estado mexicano y a las "primeras familias". Antonio Lozano Gracia, luego de alejarse de la Procuraduría General de la República, me confió que el ex presidente Salinas de Gortari, en más de una ocasión, le llamó, en apariencia preocupado, cuando se consolidaron las acusaciones contra Raúl, su hermano:

—¿Vas a venir por mí? —preguntó el ex mandatario cuando se rumoraba que los nexos de éste con su sucesor, el doctor Ernesto Zedillo, se habían deteriorado de manera definitiva.

Lozano Gracia, por cierto, cayó en una grave contradicción al explicarme su versión sobre el particular: por una parte insistió en que no creía capaz a Carlos Salinas de proceder con mente homicida; por la otra, específicamente en relación con el asesinato de Luis Donaldo Colosio el 23 de marzo de 1994, sentenció:

—Fue un crimen perpetrado desde el poder.

¿Quién ejercía el poder entonces? ¿Carlos, el iluminado, o alguien más refugiado tras bambalinas? En alguna ocasión me atreví a deslizarle una tesis a Fernando Gutiérrez Barrios, tan vinculado a la administración salinista como secretario de Gobernación durante los primeros cuatro años de la misma, cuando ya era evidente su malestar contra quien fue su jefe después de algunos dislates publicitarios de éste:

—Me parece, don Fernando, que Salinas requería ejercer el poder a plenitud para mantenerse equilibrado mentalmente. Cuando el poder le faltó, o no lo tuvo por completo, cayó en un profundo desarreglo personal; perdió la brújula, para decirlo de una vez.

Gutiérrez Barrios, analítico y frío, sonriendo, acotó:

—Creo que la radiografía es acertada.

No resulta sencillo confrontar tantos elementos confusos a la sombra del ex presidente Salinas. ¿No les parece, amigos lectores, una parodia formidable la siniestra representación del breve ayuno cuaresmal de Carlitos en San Bernabé, extendido no más de veinticuatro horas, luego de expresar que debía "luchar por su honor" tras la aprehensión de Raúl, su cófrade? La pretendida "huelga de hambre" y las fotografías que reflejaban a un Salinas afligido, perseguido por el sistema que le encumbró, sirvieron, por supuesto, para afianzar la teoría de la inescrutable fraternidad del ex presidente con su hermano "injustamente acusado", de acuerdo con lo expresado por aquel, de ser el autor intelectual del asesinato de su ex cuñado. El progenitor de ambos, don Raúl Salinas Lozano, intrascendente en funciones de padre, solía repetir a sus cercanos contertulios:

—Raúl y Carlos nunca se guardaron secretos. Al contrario: compartieron una misma habitación durante 18 años, se intercambiaban novias, en fin, fueron siempre confidentes uno del otro. Y así siguieron.

Una escenografía ideal, vamos, para dar la impresión de que al encarcelarse a Raúl se sancionaba también a Carlos en un gesto de valor político del nuevo mandatario, el débil Ernesto Zedillo, para consolidar su gobierno separándose del terrible antecesor. Por ello se explica también el acoso contra Lozano Gracia y los telefonemas melodramáticos de Carlos Salinas, desde su pretendido "exilio" —roto en cuanto se lo propuso sin mediar la voluntad del tímido don Ernesto— al tiempo de que otros funcionarios, éstos sí "claves", tomaban posiciones y controles arrinconando al doctor Zedillo y haciéndolo parecer un párvulo.

El propio presidente Zedillo, acosado por el tiempo y las asechanzas, se encargó de exhibir su pobre estructura personal y su escaso carácter, en el desesperado intento por protegerse tras los conatos de "golpes de Estado" durante 1996, cibernéticos claro está, y los sacudimientos bursátiles derivados de la frenética actividad del posesionado Salinas. Nada pasó... salvo que el ex mandatario afincado en Dublín y La Habana metió las manos, el cuerpo, todo, hasta el fondo del gabinete zedillista.

—Si el homicidio de Ruiz Massieu golpeó el corazón de Carlos —cuestiono a Canavati Tafich—, ¿ello significa que no aceptaría perdonar ni mucho menos apoyar al ejecutor? Y éste podría ser su hermano Raúl.

—No lo creo, pero es posible.

¿Cuánto sabe el maniatado doctor Zedillo al respecto? ¿Tanto para callar como garantía de su propia seguridad personal? Posiblemente. Porque, en el fondo, ninguna acción ha realizado ni permitido efectuar a sus colaboradores directos que pudiera comprometer al ex presidente Salinas de Gortari. Y en tal espacio entra, por supuesto, la relampagueante persecución de Raúl Salinas y su prendimiento en casa de su hermana, hollando los buenos oficios del abogado del mismo, Juan Velázquez, sin que fuera posible ocultar el sello característico de los miembros dilectos del "clan de Agualegüas":

—Trasládense a la residencia de Adriana —ordenó a los elementos asignados para protegerlo—, y defiéndanlo. Yo voy hablar con el presidente.

Los extrañados custodios no llegaron al sitio de la captura porque recibieron instrucciones precisas, desde el despacho del titular de la Secretaría de la Defensa Nacional, general Enrique Cervantes Aguirre, para que abortaran el operativo y se pusieran bajo las órdenes del alto mando militar. Una maniobra con la precisión de las piezas de relojería. Más tarde se produciría la arribazón salinista a los medios informativos sugiriendo la ruptura entre el ex mandatario y el sucesor y justificando la defensa del honor por encima de la maledicencia pública:

—Son cosas de loco —señalaron no pocos políticos de altos vuelos, en voz baja, claro.

Loco o no, los dividendos sólo fueron para él con todo y el impuesto "sacrificio" de viajar por el mundo bajo las reglas de un cómodo autoexilio que no le impidió, por ejemplo, asistir en junio de 1999 en México a la boda de un nuevo cuñado, el hermano de Ana Paula Gerard Rivero, su segunda esposa, para refrendar el peso de la mayor impunidad. Cosas de presidentes, cuestiones de Estado.

Carlos Salinas, quien se dice modernizador, es apenas el segundo ex mandatario mexicano que se presenta en sociedad con una cónyuge distinta a la que fungió como "primera dama" en el transcurrir de su sexenio.

Doña Cecilia Ocelli, la primera mujer del inquieto "*gnomo* de Dublín", no soportó más desaires. El peor de éstos tuvo como escenario el Hospital ABC —conocido como "el Inglés"—, en la ciudad de México, cuando se enteró de que una joven artista de cine había ingresado a la citada institución lista a tener un hijo del doctor Salinas en la fase final del periodo presidencial de éste. Las damas intercambiaron algo más que jaloneos y los miembros del Estado Mayor Presidencial, impotentes, eludieron un enfrentamiento entre quienes cuidaban a la señora Ocelli y los encargados de vigilar a la seductora amante de telenovelas.

—¡Esto no va a quedarse así! —exclamó la esposa del entonces presidente de México.

Y el augurio se cumplió. Carlos Salinas, al enterarse del incidente, fuera de sí, agredió de palabra y de hecho a su mujer legítima, quien debió permanecer recluida durante dos semanas en espera de que los hematomas desaparecieran.

—¡Ya no puedo más! —gritó doña Cecilia—. ¡Ni quiero verte por aquí!

Comenzó entonces la larga disputa por la casona del doctor Salinas, que acabó por perder éste. Luego negociaría, obcecado, el rescate de su biblioteca, al parecer el mejor signo del *status* de los ex mandatarios quienes compiten por dar brillo a los escaparates que les dan acreditación como "intelectuales". Sólo José López Portillo, quien también se le adelantó en cuestión de cónyuges y escándalos, le gana en este renglón: posee 47 mil volúmenes, diez mil de ellos herencia de don José López Portillo y Rojas que se salvaron de los revolucionarios de principios de siglo, quienes usaron gran parte de las lujosas obras del arsenal literario, encuadernadas con esmero, para encender hogueras.

—Esta biblioteca —asevera López Portillo— es mi verdadero lujo; el único en realidad.

—¿Y la leyenda de la "colina del perro"?

—Fue más lo que se exhibió. Mire: yo compré el terreno para las tres casas —la suya, la de su primera mujer, quien jamás la estrenó, y la de su hijo José Ramón, quien cercó el área de la piscina para evitar el paso al ex presidente, su padre—, gracias a un préstamo que me hizo Carlos Hank. Fueron 16 millones de pesos de entonces (equivalentes a 615 mil dólares), y lo demás me lo facilitaron mis amigos. Luego invertí 20 millones de pesos en la construcción (769 mil dólares). Ahora cuesta mantenerla y no me alcanza con mi pensión.

¿Un ex presidente pobre? Don José no vive mal, desde luego. La residencia de la célebre "colina", bautizada por los mexicanos en recuerdo a la torpe aseveración de que defendería al devaluado peso "como un perro", tiene el encanto del *art noveau* mexicano, el de los muy ricos que viven como en ninguna otra parte; por algo los millonarios de afuera no cesan de envidiarlos. Aunque, ciertamente, resulta muy sospechoso que ninguno de los ex mandatarios mexicanos, ni Luis Echeverría ni Carlos Salinas de Gortari, de reconocido potencial económico, figuren entre los de mayor capital en el mundo y, en cambio, estén considerados en las listas algunos de los más conocidos "prestanombres" de los mismos. Sólo falta que éstos sean considerados "mecenas".

Sin juicios políticos de por medio, en el cómodo ostracismo que brinda la impunidad, los ex presidentes no pasan apremios y sólo sufren el acoso de la esporádica curiosidad de los informadores.

—¿Qué tal si lo invito a comer platillos yucatecos? —sugirió Luis Echeverría para obsequiar mi solicitud de audiencia.

Y el encuentro se realizó en un marco pleno de cortesía, distendido. Apenas llegué a la mansión de San Jerónimo —la misma de los días de gran protagonismo de don Luis con todo y aquellos "festivales de las palomas"—, el ex mandatario me pidió pasar a la cocina.

—Vamos a ver —desafió Echeverría— qué tan buena memoria tiene.

Ante mi sorpresa, en plena batalla con ollas y sartenes, una ex diputada local de Yucatán, Rita María Medina, usurpaba el papel del "cheff" tratando de conseguir una recomendación del influyente dueño de la casa a favor de su hijo. La curul del pasado dio cauce a un espléndido "queso relleno", preparado a conciencia, para cerrar el círculo de la política presidencialista. En ese marco me animé a preguntar:

—¿Qué opina del último informe del doctor Zedillo, don Luis?

—Usted viene, ja, ja, en busca de la noticia de ocho columnas.

—Cuando usted era presidente la buscaba con afán; por ahí decían que hasta no tener la seguridad de haberla ganado no se retiraba a descansar.

—Pero ya aprendí, ja, ja. Además ya no soy presidente.

—Aun así, don Luis, sigue usted en el candelero. Y no precisamente, como usted dijo, porque ya no controle ni a sus nietos...

—¿Ah, sí? ¿Y por qué?

—Tlatelolco, la crisis económica, el populismo.

—Si servir a la gente es ser populista, no me avergüenzo de haberlo sido. Ahora no se toma en cuenta al pueblo para nada.

—¿Es un diagnóstico?

—Puro sentido común, ¿no?

Riqueza e impunidad de por medio, los ex presidentes, contra lo que pudiera esperarse, escondiendo los veneros oscuros y las manos sucias, al observar el presente no disimulan un cierto rubor como signo de vergüenza.

—¿Le atinó usted al señalar a su sucesor? —interrogué a López Portillo.

—Mentiría si dijera que no estoy decepcionado —fue la lacónica, lapidaria respuesta.

Lo curioso es que, pese a todo, los ex presidentes la pasan bien... a diferencia de la mayor parte de quienes fueron sus gobernados. Y en el repaso de "aquellos años" —"mis tiempos", les llamó "el señor de la colina"—, lo chispeante oculta huellas, signos ominosos y hasta contubernios.

—Cuando menos —insinúo a López Portillo—, en su sexenio se hablaba de conquistas femeninas. Y nos divertíamos haciendo cábalas.

—Yo me divertía más.

3. Los operadores

—Me siento orgulloso de colaborar con el señor presidente Zedillo. Es un gran mexicano.

Liébano Sáenz, originario de la norteña Chihuahua, el estado gigante, parece justificar y justificarse desde su inamovible cargo. Es, nada menos, el secretario privado del titular del Ejecutivo —1994-2000— y conoce antes que nadie las decisiones y tendencias de éste. De cuidadosas maneras no cesa de estar al día y observar el derrotero de las críticas: no las admite, más bien las asimila de acuerdo con el nuevo estilo de gobernar, tolerando. Mide, deja hablar —una estrategia muy rendidora para cuantos consolidaron a la tecnopolítica de nuestros días suplantando la locuacidad de los "populistas"—, y transmite mensajes velados sin dar mayor importancia a los antecedentes y juicios del interlocutor. Es un operador nato.

—¿No aspiras a la gubernatura de tu entidad? —le pregunté a Sáenz semanas antes de resolverse la papeleta priísta a favor de Patricio Martínez.

—Mi deber es estar aquí, junto al señor presidente. Y terminar con él esta responsabilidad. De lo demás no me ocupo.

Desde luego, en el juego interno del PRI, sujeto hasta ahora a la voluntad presidencial pese a los barruntos supuestamente democráticos de cada fin de sexenio, el nombre de Liébano fue tratado con gran discreción a la hora de la selección interna en busca del candidato al gobierno de la dorada Chihuahua. Pese a la cercanía con el "primer mandatario", Liébano no alentó a sus partidarios ni permitió jugueteos de prensa. Lo suyo, como resumió oportunamente, es otra cosa: acompañar, servir... influir al señor presidente.

Doce años atrás, el secretario privado del presidente Miguel de la Madrid, yucateco por descendencia —de extremo a extremo de la geografía patria—, Emilio Gamboa Patrón, encogiéndose de hombros y gesticulando, rechazó una oferta similar:

—Ni siquiera me atrevo a planteárselo a mi jefe, el señor presidente. Quizá pudiera tomarlo como un abuso, incluso un esbozo de deslealtad.

—En Yucatán, dadas las circunstancias —le dije—, tu candidatura parecería natural. Todos saben por ahí que, por tu estrecha relación con De la Madrid, serías un gran gestor.

—Bueno, mientras mi jefe fuera presidente. Un año tan solo si nos atenemos al calendario electoral. Después, como lo han hecho todos los gobernadores, tendría que acercarme al "bueno".

—Pero, por tu posición actual, no te sería difícil acceder. A lo mejor ya sabes a quién debes frecuentar con la mente puesta en el futuro.

—El señor presidente no menciona jamás ese punto. Te lo aseguro.

—¿Y tú quisieras ser gobernador?

—Me atrae mucho la posibilidad. Pero, la verdad, creo que estoy en un sitio envidiable. Y quiero terminar el sexenio mereciendo la confianza del presidente de la República. Es un gran hombre.

Las mismas frases, la misma disciplina institucional. Más vale ubicarse en el más pequeño salón de Los Pinos que en cualquiera de los luminosos despachos del interior del país. Sucede como en las grandes compañías: un rinconcito en el Distrito Federal produce más, mucho más, que una gran extensión fuera del centro neurálgico del país. El centralismo asfixia, pero los beneficiarios no romperían jamás con el esquema.

Juan Antonio Pérez Simón, cuando aún no se consumaba la venta de la próspera cadena Sanborns y en calidad de director de la misma, me confesó abiertamente:

—Cualquier sucursal nuestra en el Distrito Federal nos deja más, mucho más, que la mejor de nuestras instalaciones en la provincia. Así de simple.

Y la concentración —el centralismo— prosigue en la vida nacional y en cada uno de los renglones de la actividad pública si bien, a últimas fechas, no todos los controles recalan en la capital de la República mexicana: de alguna manera, los "cárteles" —desde las heredades del "extinto" Amado Carrillo Fuentes, el "Señor de los Cielos", hasta las encendidas huellas del célebre "capo del Golfo", Juan García Ábrego, recluido en Estados Unidos gracias a una negociación "de altura" promovida por las autoridades mexicanas para deshacerse del incendiario "paquete"— obligan a los operadores del centro, políticos de altos vuelos entre ellos, a viajar por el extenso territorio mexicano.

En Tamaulipas, como muestra, nadie ignora que por los territorios del ya anciano Juan Nepomuceno Guerra, a cuya sombra se crió García Ábrego, han desfilado algunos de los más "encopetados" personajes de la administración pública, incluidos casi todos los conocidos miembros del "clan de Agualeguas" con Carlos Salinas como cabeza visible.

—Mira, el viejo Juan Guerra —me cuenta Heriberto Deándar Martínez, director de *El Mañana* de Reynosa—, es mafioso, matón incluso, pero no narcotraficante.

La fama de Guerra, proverbial anfitrión de candidatos priístas, se acrecentó en la década de los sesenta, precisamente después del asesinato de John Fitzgerald Kennedy en Dallas —noviembre de 1963—, cuando una versión convirtió al cacique tamaulipeco en presunto protector de unos mercenarios italianos relacionados con el magnicidio:

—Los tuvo en su casa durante un largo tiempo —asevera Juan Gastélum Castro, ex yerno del ex gobernador Enrique Cárdenas González y actualmente confinado en una prisión de Texas—, hasta que pasó el escándalo. Todos saben que eran piezas importantes en la confabulación contra Kennedy. También "los gringos" tienen sus historias.

El caso de Gastélum, rector de la Universidad del Valle de Bravo con una decena de campus a lo largo y ancho de Tamaulipas, es sintomático de la red de venganzas entrecruzadas tan comunes por las tierras del norte. Acusado del homicidio del supuesto amante de su mujer debió cruzar la frontera para librar la acción de la justicia mexicana:

—Me persiguen injustamente —alegó cuantas veces tuvo ocasión para ello—, porque no hay prueba alguna que me incrimine. Incluso ya solicité la intervención de la Comisión Nacional de Derechos Humanos.

—¿Cuál fue la respuesta? —indagué.

—Bueno, Jorge Madrazo Cuéllar, quien era el presidente de la Comisión antes de pasar a la Procuraduría General de la República, me mandó decir que ni le moviera, como si se tratara de una consigna.

Poco a poco fueron, en apariencia, olvidándose de Gastélum; durante cinco años ninguna acción judicial se promovió en su contra y el personaje, otrora poderoso, comenzó a vivir de manera "normal" en McAllen, Texas, sin cesar en sus empeños por retornar a México, a donde realizaba incursiones esporádicas cuidándose lo necesario. En mayo de 1998, me dijo:

—Yo nací y crecí en Sinaloa. ¡Y se cuentan tantas historias!

—Ahora es tierra de "capos"... como Tamaulipas. Es curioso, ¿no? Por cierto, Francisco Labastida Ochoa —entonces secretario de Gobernación—, nada pudo hacer para combatir a los narcotraficantes, cuando fue gobernador, y ahora es figura clave de la política.

—Bueno, por ahí conocí a un pescador mazatleco que hablaba de más y presumía de su relación con don Francisco. ¿Sabes cómo le llamaba? "*La vestida* Ochoa". Así estaría la cosa...

Cinco semanas después de nuestro encuentro, la policía texana aprehendió a Gastélum cuando llegaba a su casa de McAllen. El expediente en su contra revivió como por obra de magia coincidiendo con el fin del mandato del singular Manuel Cavazos Lerma, el gobernante salinista de Tamaulipas, quien jamás pasó apremios para justificar sus nexos con los mafiosos —con Juan Nepomuceno en la cúspide de la pirámide— y algunos de los más exitosos empresarios-políticos del "sistema", como Raúl Salinas de Gortari.

—Me molesta la coincidencia, Emilio —le expreso a Gamboa Patrón, en funciones de subsecretario de Comunicación Social de la Secretaría de Gobernación precisamente bajo el mando de Labastida—. Sobre todo porque Gastélum estaba dispuesto a proporcionarme información bastante sobre algunas personalidades sinaloenses.

—No se tratará de mi jefe, ¿verdad?

—También es de Sinaloa, ¿no? Y se habla mucho de que, como sucedió en Jalisco durante el primer *boom* del narcotráfico, el gobernador Labastida poco pudo hacer para frenar a los "capos".

—No estaba bajo su jurisdicción...

(Llama la atención cuál ha sido el destino político de los mandatarios estatales tolerantes, por decir algo, respecto a la contaminación de sus entidades a manos de los zares del vicio. En 1988, Enrique Álvarez del Castillo, titular del Ejecutivo en Jalisco a cuya vera creció el poderoso "cártel de Guadalajara", el primero de la larga cadena de ínsulas infectadas por el poder ilimitado de los "capos", fue promovido, nada menos, como abogado de la nación durando en el cargo de procurador general tres años. Luego caerían sobre él innumerables sospechas y el desprestigio.

Y Labastida Ochoa, quien no pudo detener siquiera el avance de los "narcos" por el territorio bajo su cuidado, fue incorporado al gabinete del doctor Ernesto Zedillo, luego de breve escala en la embajada de México en Portugal, primero en calidad de secretario de Agricultura y después como titular de Gobernación. Y de ahí, para completar el ciclo, saltó a la precandidatura priísta en pos de la presidencia de la República en competencia, nada menos, con Manuel Bartlett Díaz, también poseedor de un amplio currículum que incluye el paso por el Palacio de Bucareli, sede de Gobernación, una gubernatura, la de Puebla, y acreditadas sospechas sobre sus nexos con la mafia. ¿Simples coincidencias?)

—¿Por qué no te entrevistas con el señor secretario Labastida Ochoa? —sugirió Emilio Gamboa—. Es una gente de primera.

—Sobra decir que es también tu candidato a la presidencia.

—Tiene los tamaños para serlo; falta ver lo que dirá el presidente Zedillo.

Y la cita se cumplió. Relajado, amable, conocedor de los terrenos que pisa, Francisco Labastida Ochoa se mostró abierto, receptivo, defendió al sistema y al presidente Zedillo, en el plano institucional, y no dejó de promoverse ni siquiera en el terreno familiar al que él se refirió de *motu proprio*.

—Mi primera esposa, en buen plan, me dijo que podríamos posponer los trámites de mi divorcio para no perjudicar mi carrera política. Se mencionaba entonces que podía tener posibilidades para disputar la candidatura presidencial; remotas, pero posibilidades al fin.

—¿Y usted aceptó la oferta?

—Al contrario. Le dije que eso no iba conmigo y enfrenté la separación sin posponerla un solo día. Ya no había ningún otro tipo de vínculo... y no había razón para esperar.

—¿Ni siquiera por una candidatura?

—Son cosas distintas y así deberíamos tratarlas, aunque reconozco que hace dos sexenios, cuando las circunstancias se dieron, una disolución familiar no resultaba favorable.

—¿Y ahora?

—Vivo muy feliz con mi segunda mujer, María Teresa Uriarte, una brillante antropóloga social. Voy a obsequiarle algunos de sus trabajos.

Labastida se incorporó amable y puso en mis manos tres espléndidos volúmenes, editados a todo lujo, sobre la cultura teotihuacana.

—Por lo que observo —comenté—, hacen una buena mancuerna, señor secretario.

—Estoy muy contento, sí. Y tranquilo... porque debo reconocer que mi única gran debilidad, a lo largo de mi vida, han sido las mujeres. No son pocos los dolores de cabeza que me han hecho padecer.

(Debo indicar a los amables lectores que tal "confesión" surgió sin pregunta expresa y como si el señor Labastida tuviera prisa de subrayar sus preferencias para superar, de tajo, cualquiera otra impresión.)

—Mi hermano —prosiguió Labastida— es quien se encarga de los negocios de la familia; yo nada tengo que ver.

—¿Ninguna inversión, señor secretario? ¿Vive sólo de la política?

—La única empresa que poseo es una sociedad con mi hija, dermatóloga, a quien ayudé a adquirir un equipo de rayos láser para realizar cirugías en el rostro. Nada más, de veras.

Recuerdo que, en algún momento del diálogo, Labastida Ochoa no encontraba la salida retórica. Cuando le interrogué acerca de la viabilidad y futuro del sistema político mexicano, por ejemplo, no tuvo otra opción que recurrir a los lugares comunes:

—El PRI es cada vez más sólido, aunque se diga lo contrario. Es imposible que sea desplazado.

—La democracia implica —acoté— una permanente renovación de cuadros y líderes. En el PRI eso no se observa.

—Pero el PRI se está renovando. Y la democracia también crece cuando gana el PRI.

—A la buena, se entiende.

—Ya no hay otra manera de hacerlo.

No es casualidad, por supuesto, que un operador como Emilio Gamboa, sobreviviente a lo largo de tres sexenios terriblemente complejos y conflictivos, se haya situado bajo la férula de Labastida, sobre todo en la hora de la definición política de éste de cara al siguiente lapso. Alguna vez, don Mario Sojo Acosta, a la sazón director del semanario *Impacto*, que sería embargado con la entusiasta promoción de Manuel Bartlett, formularía una apuesta analizando al inquieto secretario privado de Miguel de la Madrid, 1982-1988:

—Éste va a ser presidente tarde o temprano.

—Pero... no es más que un afanoso secretario privado, don Mario.

—Es parte notable del grupo... con proyecciones para mucho más allá del inicio del milenio. Ya todas las sucesiones están resueltas.

El pronóstico vuelve a tener actualidad y contexto muy a pesar de las reiteradas acusaciones contra el yucateco en cuanto a sus sospechosos vínculos con la mafia. Al parecer tales señalamientos se convierten en medallas relucientes que acreditan los raspones publicitarios inevitables en la cruzada por ascender en la órbita del poder, apretando complicidades. Por eso pervive, lo mismo que otros maniobreros de altos vuelos capaces de medrar, siempre con ánimo de negociación, ofreciendo información al mejor postor.

Gamboa durante su paso por Gobernación en calidad de subsecretario, hizo lo necesario por consolidar su red informativa; al mismo tiempo, Liébano Saénz, el gran operador del sexenio del doctor Ernesto Zedillo, con la discreción como *modus operandi*, tejió la maraña en la que recalan, por igual, los intereses políticos y los oscuros. Si alguien será investigado cuando se extinga la responsabilidad presidencial de don Ernesto, éste no podría ser otro que Liébano.

—¿Hay algún expediente abierto sobre Sáenz? —interrogo a un informador de la inefable DEA estadounidense.

—Desde luego. Varios. Ha sido incluso menos discreto que algunos de los sospechosos de otros sexenios.

—¿Por qué nada han dicho?

—Razones diplomáticas, sobre todo. Los políticos de Washington quieren saber pero no actúan; por algo será. Ya ve usted lo que ha pasado con Manuel Bartlett.

El nombre de Bartlett siempre aparece. Está inmerso en toda sospecha, en cada pesquisa realizada por agentes no comprometidos... del exterior, se entiende. No obstante, en México puede deambular a sus anchas. Nadie lo molesta y el hombre, seguro de sí, más bien de la impunidad que le cobija, desafía al doctor Zedillo, compromete a la estructura de su propio partido, se carcajea de cuantos reúnen datos sobre sus actividades extrañas y se da el lujo, para cerrar el historial por el momento, de presentarse como precandidato presidencial bajo el manto de una "democratización" tramposa, plenamente manipulada.

—Puedo visitar Estados Unidos cuando me plazca —resume al recitar su estribillo favorito.

Pero no lo hace. Como tampoco proceden, en serio, cuantos han dicho estar dispuestos a desenmascarar a quienes les han llamado corruptos, fuera de nuestras fronteras, y algo más: enlaces evidentes entre la peor mafia de todos los tiempos y la reducida aristocracia priísta al servicio del ahora satanizado, sólo tácitamente, neoliberalismo.

Tres nombres, entre otros más, dan la pauta en este ominoso apartado: el ya mencionado Álvarez del Castillo, el general Juan Arévalo Gardoqui, titular de la Secretaría de la Defensa Nacional durante el lapso delamadridiano, y Andrés Caso Lombardo, secretario de Comunicaciones en el arranque del salinismo, quien cedió su puesto, precisamente, a Emilio Gamboa Patrón con el prurito de cubrirse las espaldas. Los tres expresaron, al dejar sus elevadas responsabilidades, que denunciarían a sus "difamadores". Ninguno pasó de ahí.

Arévalo, incluso, fue mantenido en el Campo Militar Número Uno —antes llamado "Álvaro Obregón", el mítico escenario en el que fueron "acomodados" los líderes estudiantiles de 1968 y en el que hasta un horno de cremación, para caballos, claro, cuenta con camuflaje especial—, hasta que fue descubierto. Luego aparecería en público para "desmentir":

—Vine a Chihuahua —declaró al presentarse en el hotel de su vástago, del mismo nombre, señalado igualmente por la DEA—, porque nada ni nadie me lo impide. Estoy bien.

—¿No ha sido recluido en el Campo Militar? Se dice que lo están protegiendo porque en Estados Unidos, como ya sucedió en el controvertido caso del doctor Humberto Álvarez Machain —"secuestrado" por elementos de la DEA y trasladado a la Unión Americana—, tienen interés en usted.

—Eso es absurdo. ¿Me ven ustedes? Aquí estoy.

Horas más tarde se "perdió" de nuevo por un largo tiempo y sólo reapareció cuando otros le arrebataron el protagonismo. ¿Por qué no se anima a superar los "infundios" como lo prometió? Y otro tanto deberían hacer los "salinistas" Álvarez del Castillo y Caso Lombardo, si en alguna estima tienen sus honras.

Las evidencias señalan hacia el periodo de Miguel de la Madrid como el lapso en el que se hizo evidente el imperio de los "cárteles" mexicanos. Un tiempo marcado, en la esfera pública, por el deplorable decrecimiento nacional —antítesis de una buena administración— y la indisimulada persecución contra los críticos. Pero también debemos anotar otro elemento: los severos sacudimientos en la cúpula militar, encabezada precisamente por Arévalo Gardoqui. A mediados de 1986, tras el crimen contra Carlos Loret de Mola, el secretario por excelencia, Gamboa Patrón, se excedió en un comentario acaso para justificar a su jefe, el presidente:

—Hemos estado cerca del abismo no pocas veces; y de todas ha salido bien el señor presidente. Si en los años recientes debimos confrontar las secuelas del terremoto en la ciudad de México y la volatilidad de los precios del petróleo, al inicio del sexenio las presiones fueron mucho mayores...

—¿De parte de quiénes, Emilio?

—Sobre todo del Ejército. No te imaginas los riesgos que corrimos. Fueron acomodamientos muy difíciles.

—¿Hubo el peligro de una asonada?
—No se planteó así, aunque sí estuvo en juego la lealtad de los militares.

Aunque Gamboa insistió en que los mílites inconformes buscaban mejorar sus ingresos como premisa fundamental, es obvio que aquellos severos estirones pudieron ser el pretexto para "dejar hacer" a determinados uniformados en relación con sus vínculos con la mafia. ¿Fue ésta condición la que detuvo el flujo de inconformidades listas a poner en jaque la solvencia política de las autoridades civiles? Porque, también a partir de entonces, fue notoria la infiltración de la estructura militar por parte del gran poder lateral: el del narcotráfico.

Lo anterior se hizo patente cuando un modesto diario fronterizo, del lado estadounidense claro, *San Diego Union*, publicó que el titular de la Defensa Nacional y su primogénito estaban involucrados con los "cárteles" del norte del país.

—¡Vamos a desagraviarlo, general! —exclamó el señor De la Madrid luego de escuchar la entrecortada voz de Arévalo Gardoqui exigiendo alguna reparación "moral".

—Gracias, señor presidente.

La alianza, desde ese momento, se consolidó a golpe de complicidades. La transición política, pese a la irrupción de Cuauhtémoc Cárdenas y su Frente Democrático Nacional en 1987, se mantuvo bajo control; el general Arévalo fue exaltado por el Ejecutivo casi como si se tratase de un héroe de guerra, tutelándolo y emocionándolo: el "bravo" soldado, sin contenerse, debió sacar su albo pañuelo para enjugarse las lágrimas; y Carlos Salinas, sin haber sido favorecido por el voto mayoritario de los mexicanos, accedió a la presidencia sin mayores sobresaltos, salvo las encendidas voces de un puñado de opositores, de izquierda sobre todo, atemperados con la presencia del mandatario cubano Fidel Castro Ruz en la ceremonia inaugural de un nuevo sexenio.

Tiempo después Miguel de la Madrid, desde su perentorio retiro en Coyoacán —hasta que fue rescatado por Salinas, quien lo designó director del Fondo de Cultura Económica, cargo al parecer vitalicio—, reconoció que, pese a todo, no mantuvo en sus manos los controles a la hora final de su mandato. Le pregunté, en presencia de Rogelio Carvajal Dávila, a la sazón editor de Grijalbo, cómo se habían desarrollado los acontecimientos antes y después de los controvertidos comicios presidenciales de 1988; su respuesta es digna de análisis:

—Yo, la verdad, pasé dos noches en el Palacio Nacional esperando noticias. Sabíamos que las elecciones serían muy competidas... pero las primeras cifras nos sorprendieron. Y le pedí al secretario de Gobernación que limpiara el proceso.

—¿Lo hizo Manuel Bartlett?

De la Madrid evitó responder. Luego entendí que la interrogante formulada confluía hacia un hecho incontrovertible: la dramática "caída del sistema" —de cómputo— que posibilitó el lento arreglo de las estadísticas en el Palacio de Bucareli, sede en ese momento del Consejo Federal Electoral todavía no liberado de la estructura gobernante. ¿Así cumplimentó la orden presidencial el responsable de la política interior del país? ¿O fue ésta el detonante para que el sinuoso señor Bartlett intentara el abordaje final?

—Luego vendría, señor De la Madrid, aquel VI Informe con las galerías insubordinadas.

—Sí, fue muy difícil —reconoció el ex presidente—. Yo tenía todo previsto para el caso de que los señores diputados no me dejaran hablar.

—¿Qué iba usted a hacer?

—En Palacio, en la antesala de mi despacho, habíamos montado una especie de *plató* para la televisión. Si el escándalo continuaba, me habría limitado a entregar el texto del Informe a la presidencia del Congreso y luego me hubiese trasladado a la sede del Ejecutivo federal para, desde ahí, enviar el mensaje al pueblo de México.

—Estuvo usted a punto de decidirse por esta medida, ¿no es así?

—Casi. Pero, por fortuna, el diputado Porfirio Muñoz Ledo, luego de algunos intentos por interpelarme, resolvió salirse del pleno... y con él se fueron todos los diputados del Frente.

Las aguas volvieron a su cauce. Manuel Bartlett y Emilio Gamboa sobrevivieron políticamente y conservan el privilegio de la impunidad y la seguridad de estar proyectados hacia más allá del próximo milenio. Bien situados, al permanecer constituyen las garantías insustituibles en las que se basan los procesos sucesorios. Operadores al fin, no han sido motivo de litigio, ni siquiera de una investigación formal, por parte de las autoridades judiciales. No es difícil explicarse por qué.

—Yo sólo cumplí órdenes del secretario de Gobernación —expresó durante su declaración ministerial José Antonio Zorrilla, aprehendido como presunto responsable del crimen contra el periodista Manuel Buendía Tellezgirón en mayo de 1984.

El testimonio, asentado en actas y divulgado con amplitud, no bastó para que, siquiera, se citara al señalado, Manuel Bartlett claro, para que enfrentara la velada acusación de quien fue su subordinado como jefe de la Dirección Federal de Seguridad; sencillamente el derecho procesal pasó a ser letra muerta, suplantado por la ligereza política. Lo dicho: ninguna pesquisa le ha pisado los talones, en México se entiende, al controvertido protagonista de algunos de los expedientes más voluminosos de la DEA norteamericana. Y éste continúa brincando sexenios sobre el rastro de sangre de los informadores victimados.

Pese a las dramáticas cifras —sesenta periodistas asesinados durante el lapso delamadridiano aparte de los más de dos mil seguidores del Partido de la Revolución Democrática muertos o desaparecidos como consecuencia, casi en todos los casos y de acuerdo con las conclusiones oficiales, de rencillas partidistas o incluso supuestas desviaciones de conducta—, la barbarie apenas comenzó en aquella etapa enseñoreada por la figura del obcecado Bartlett. Es necesario enfatizar una perversa condición prefabricada por los "hombres del sistema":

—A los informadores asesinados —le dije a Jorge Carpizo McGregor cuando éste fungía como procurador general (1993)—, han pretendido difamarlos.

—¿Cómo es eso?

—Los homicidios, en su mayor parte, tienen un móvil común, según se expresa en los expedientes: los supuestos, y en ocasiones inexistentes, excesos de las víctimas. Alcohol de por medio, casi todos los casos están encuadrados en el rubro pasional, incluso homosexual, mediando sólo los testimonios de terceros o algunas actas levantadas *post mortem*.

Carpizo, un tanto incómodo, recibió los documentos que prueban, desde sus primeras líneas, la insostenible versión oficial sobre el crimen contra Carlos Loret de Mola, mi padre: se asentó que, dominado por una intoxicación etílica aguda —él, a quien jamás nadie vio ebrio—, había terminado en un barranco, "El Filo Mayor", en la abrupta sierra de Guerrero.

—Es absurdo —concluí—, porque los últimos que, de acuerdo con la propia tesis oficial, vieron con vida a mi padre, los soldados del retén "El Guirindalito", no registraron ninguna anomalía y, según dijeron, le dejaron continuar su camino. De no haber estado sobrio, ¿procedía tal actitud de la soldadesca?

—¿Y dice usted que a partir de este punto y hasta la barranca en donde se encontró el automóvil no hay un paraje para detenerse?

—No lo hay, señor procurador. Ni se descubrieron en la cajuela del coche, ni en el interior del mismo, restos de botellas. Nada. ¿Cómo podía haberse emborrachado entonces? ¡Por favor!

Para Bartlett, el operador, todo lo descrito es sólo una "novela". Así lo expresó ante más de cuarenta periodistas convocados por Guillermo Farber en ocasión de la absurda precandidatura presidencial del ex gobernador de Puebla. Desde luego, es incapaz de confrontar las versiones y dar la cara al respecto. Miente, sencillamente. Y lo hace sabedor de que, amparado en el rango de seguridad del Estado, es intocable. Sólo de esta manera es posible explicar su permanencia... aun cuando algunos torpes le concedan el privilegio de ser un "buen político", "talentoso" además, porque con sus bravuconerías atemoriza a sus débiles interlocutores. Sabe mucho, eso sí. ¿Tanto como para chantajear al doctor Ernesto Zedillo? ¿Y al sucesor de éste?

—Yo únicamente —se ufanó Bartlett en la reunión citada con los más de cuarenta informadores—, he sido cuestionado por el caso Buendía y por los supuestos nexos con el narcotráfico. Ya he respondido suficientemente sobre el particular.

No lo ha hecho, desde luego. Pero ello no es óbice para presentarse en los estertores del periodo zedillista, ante los ignorantes y los convenencieros, como adalid de la democracia nada menos. El alegato es grotesco: pese a sus antecedentes —"¡soy un hombre limpio y nadie puede probar lo contrario!"— dice ser un renovador dispuesto a rescatar al PRI de la inercia proverbial. La realidad es que ha intentado, a toda costa, subir el último peldaño acaso para dejar atrás la condición de la que no puede prescindir: es un operador, simplemente, listo a efectuar los trabajos sucios del sistema. No es poca cosa.

La permanencia tiene sus secretos. Emilio Gamboa, situado a la vera de Francisco Labastida Ochoa, obtuvo el aval para el futuro, sin agobios ni asechanzas, tratando de hacer sentir su influencia en los medios de comunicación:

—¿Otra vez? Está muy inquieto Emilio —lanzó el sarcasmo Carmen Lira, directora de *La Jornada*, al tercer llamado telefónico, el mismo día, del subsecretario de Comunicación Social apenas dos semanas después de que éste ocupó el cargo.

—¿Mucha presión, señora directora?

—¡No, hombre! Eso se imaginan ellos.

Gamboa continuó llamando, incluso con premura, y buscando acercar a su jefe, el ministro lanzado a la candidatura presidencial, al mayor número de comunicadores. En una ocasión, preocupado por los "errores" en la selección de aspirantes priístas, sobre todo por los rebases dentro de los llamados "procesos abiertos", a lo largo de 1998 y 1999, y la cooptación de los resentidos —siempre y cuando éstos demuestren tener amplia convocatoria— por parte de una oposición dispuesta a crecer a cualquier costo, el alto burócrata de los tres regímenes neoliberalistas, apuntó:

—Todavía no estamos preparados para eso —las nominaciones con ribetes democráticos—. Hace falta un guía, un líder. El presidencialismo mexicano es sabio.

—Pero enfermó, Emilio.

—No lo creo. Está más fuerte que nunca. Rescatando lo mejor de cada uno de los periodos presidenciales recientes, a los que he servido, podemos decir que las condiciones son más favorables ahora.

—¿Con cuál de los presidentes que han sido tus jefes te quedas?

—Cada uno en su circunstancia; el sistema funciona y mejora.

—Sin embargo, les preocupa, tanto a ti como a tu jefe Labastida, la precipitación de los tiempos electorales. ¿Lo entenderá así el doctor Zedillo o esperará?

—Creo que deberá convencerse acerca de la necesidad de salir ya. Pero no será Labastida quien se lo diga. Es un proceso delicado: un síntoma de impaciencia puede ser considerado una deslealtad.

—¿Aun cuando se hayan adelantado Bartlett y Roberto Madrazo, de Tabasco?

—Los escenarios cambian, no el sistema.

Quien puede corroborarlo, en su cómoda posición de enlace intransitable, presente y cercano, con enorme poder retenido, es Joseph-Marie Córdoba Montoya, el franco-español beneficiario del neoliberalismo que engendró a los "niños sabios" sin cultura nacionalista e inmersos en un mundo globalizador dispuesto para el permanente festín de los poderosos. El coordinador de asesores salinista —permaneció en esta posición hasta la víspera de la designación del doctor Zedillo como candidato presidencial sustituto y apenas unos días después del drama de Lomas Taurinas en donde perdió la vida Luis Donaldo Colosio— ahora vuelve a ser un factor clave:

—¿Está detrás de Bartlett? —interrogué a un acucioso informante de primera mano.

—Ni de Bartlett ni de Roberto Madrazo. Su apuesta es Labastida y el "puente" entre ellos es, desde luego, Gamboa.

—Entonces, ¿Labastida es el candidato de Salinas de Gortari?

—Cáptalo de otra manera: es el que encaja.

Mientras tanto, las autoridades judiciales no se preocupan por dar seguimiento a las líneas sobre la posible intervención de Córdoba en las conjuras que modificaron, en 1994, el perfil histórico del país. Contra toda evidencia, el hombre del rostro afilado, los anteojos brillantes y la sonrisa sarcástica, macerada la tez como huella de las interminables andanzas y correrías juveniles, se dio el lujo de enfrentar a sus acusadores, sobre todo al ingeniero Cuauhtémoc Cárdenas y a los legisladores del Partido de la Revolución Democrática, y a partir de este punto los señalamientos cesaron. El silencio vergonzoso como sentencia final.

Cada quien busca el camuflaje perfecto.

—Concédame un poco de inteligencia, Rafael —solicitó el profesor Carlos Hank tras el homicidio de Francisco Ruiz Massieu—. ¿Usted cree que yo prepararía algo tan burdo? ¿Un "tirador" novato con un arma defectuosa?

Sin embargo, el "tirador", Daniel Aguilar Treviño, capturado cuando huía de la escena del crimen por un policía bancario, no resultó un inexperto, ni mucho menos. Sabía lo que hacía y a quien servía. Por eso está Raúl Salinas de Gortari en la cárcel de "Almoloyita" luego de haber dejado el penal de alta seguridad en donde lo visitó un conmovido Carlos, su hermano, en junio de 1999:

—Sólo vengo a darte un abrazo —alcanzaron a escuchar los carceleros al ex mandatario.

Y los dos se fundieron, como en los viejos tiempos, recordando, repasando. No obstante las apariencias, la captura del cófrade mayor, más allá de lecturas subjetivas y justificaciones veladas, ha sido la jugada más elaborada por el brillante "*gnomo* de Dublín". Y en ella participó, codo con codo, el célebre Córdoba Montoya. Sólo él.

En otro escenario, en la sede privada del maestro Hank González en la avenida Prado Norte de la ciudad de México, constaté la sorpresa de éste cuando recibió un telefonema que modificaba los planteamientos sobre el incipiente régimen zedillista. El destino me colocó en aquella oficina el 28 de febrero de 1995 a las dos de la tarde, exactamente la hora en que fue capturado Raúl Salinas. El inconmovible Hank no pudo evitar turbarse:

—¡Qué barbaridad! —casi gritó a través del auricular.

No agregó más a su interlocutor, ni siquiera en demanda de mayor información. Se quedó pasmado, ensimismado. Y me pidió:

—¿Podríamos vernos otro día? Acaba de suceder algo muy grave.

—¿Qué pasó, profesor?

—De todas maneras va usted a enterarse: aprehendieron hace unos minutos a Raúl Salinas. Él, como usted sabe, es mi amigo.

Fue imposible disimular. Hank, apenas me despedí de él, se dirigió a su mesa de trabajo y comenzó a marcar números telefónicos. Ordenaba con la mirada a su auxiliar, Margarita Cervera Lavat —hija del primer traficante de estupefacientes conocido en la península de Yucatán—, antes de que se cerrara, tras de mí, la puerta de su moderno despacho. Ni el mejor de los actores habría podido representar una farsa bajo aquella tensión.

Después comenzaría el duelo de las filtraciones: de datos, misivas y cintas magnetofónicas. Y se urdirían mil historias con un propósito central: confundir, y cansar, a la opinión pública. Así, dicen, ganan espacios los grandes manipuladores; así, aseguran, se aplica la medicina infalible para alentar la amnesia de los mexicanos: el tiempo.

En medio del maremágnum, una figura instrumenta, acorrala, "crea" noticias y prepara la retirada del doctor Zedillo bajo una condición: la permanencia del operador principal del sexenio en curso. Es Liébano Sáenz, el mismo que, casi sin voz, comunicó a los medios informativos poco después de las 10 de la noche del 23 de marzo de 1994:

—Pese a todos los esfuerzos, Luis Donaldo Colosio ha fallecido.

—¿Quién es usted? —preguntó una reportera local, desbordada también.

—Soy el coordinador de prensa de la campaña...

Y, claro, se impondría después el sello distintivo de la nueva clase tecnopolítica: la permanencia para matizar amarres. Sin que mediara mayor explicación, Liébano Sáenz fue llevado hasta el despacho del presidente Zedillo y nombrado secretario privado. Simultáneamente, quien había desempeñado tal papel respecto al sacrificado Colosio, Alfonso Durazo, ganaba también una nueva perspectiva: fue designado director de Comunicación Social de la Secretaría de Gobernación, un "dulce" que le reanimaría por unas cuantas semanas, el lapso que duró al frente de la dependencia el pretendido "delfín", frustrado, del zedillismo: Esteban Moctezuma Barragán.

A Durazo le pregunté:

—¿Quién tiene los documentos y cartas de Colosio?

—Una parte la tengo yo, pero de todo tiene registro Liébano.

De tan sencilla manera, llevando a los hombres claves a un nuevo abrevadero, se pretendió cerrar una historia bajo las siete llaves de la complicidad simulada. Sáenz lo sabe bien.

El otro punto final es obra de Córdoba Montoya. Porque, sin género de dudas, "su" candidato, el aspirante gris, llegó a la cima. No era, aunque así lo expresara, Luis Donaldo Colosio.

—La gran apuesta de Córdoba —podemos resumir ahora— fue siempre Ernesto Zedillo Ponce de León.

—¿Y después? —me pregunta un joven aspirante a periodista.
—Francisco Labastida.
De Bartlett a Liébano, pasando por Gamboa y Córdoba, los grandes operadores han seguido siempre el mismo hilo conductor. Y saben, saben mucho.

4. Los juniors

—Cuando me preguntaron cómo pasé el 2 de octubre de 1968 me encogí de hombros... ¡yo apenas estaba en la primaria!

Luis Téllez Kuenzler, flamante secretario de Energía a quien se concede la autoría de la privatización de la industria eléctrica y el proyecto para hacer lo propio con la petrolera, fue siempre bien apadrinado, colocado y protegido por el grupo salinista: nada menos a la vera del controvertido maestro de Tianguistengo, Carlos Hank González, durante el paso de éste por la Secretaría de Agricultura y Ganadería; sobre su joven, treintañero subsecretario, Hank expresaba desde su sede en el gabinete presidencial:

—Es un muchacho brillante. Es importante conocerlo, trabar contacto con él. Tiene mucho futuro.

Su aterrizaje dentro del régimen del doctor Ernesto Zedillo, como responsable de la oficina de coordinación de la Presidencia nada menos, esto es, ocupando el despacho que sirvió de marco a la "eminencia gris" del salinato, Joseph-Marie Córdoba Montoya, confirmó la proyección del estudioso discípulo de los harvardianos neoliberalistas. También se debió a una jugada maestra para desligarse de la paternidad salinista, en apariencia:

—Durante aquella reunión de noviembre de 1994 —cuenta Téllez acaso para justificar las decisiones de la administración posterior—, el presidente electo, Ernesto Zedillo, y yo, tratamos de convencer al presidente Salinas de la urgencia de un ajuste monetario. Y él nos dijo: "Todavía mando yo... y no voy a devaluar". Insistí y el doctor Zedillo, al notar el malestar de Salinas, me pidió con un gesto paciencia y calma.

La revelación, por supuesto, confirma que el doctor Zedillo y su séquito sabían, a ciencia cierta, que el poderoso antecesor les legaba una bomba. Y aceptaron aventurarse en el matadero de la historia sin prevenir consecuencias. Esta primera, gran batalla perdida evitaría la emancipación del apretado equipo zedillista cuyo operador inicial, en cuestiones de alta economía, el propio Téllez Kuenzler, pronto habría de claudicar hasta ser trasladado desde el despacho adjunto del presidente en Los Pinos hacia un moderno edificio sito en la avenida de los Insurgentes, en la confluencia con Eugenia, de esos llamados "inteligentes"y que, precisamente por fallas eléctricas, ha dejado varado al "ministro" en más de una ocasión.

—México no puede estar atado a los monopolios de la electricidad y el petróleo —sintetiza Téllez—. En ninguna parte del mundo se mantiene este esquema.

—Tenemos razones históricas...

—Debemos ver hacia el futuro, no quedarnos en el pasado.

El modelo, claro, no admite réplica. No puede haberla cuando se impone el cartabón de las genialidades, las de un puñado de jóvenes beneficiarios de la sabiduría de las universidades anglosajonas, a cualquier propósito reivindicador en lo social. Siempre he pensado que a estos nuevos maestros de la tecnopolítica no les falta nada: les sobra pueblo, nada más.

Durante su paso por la dirección del Instituto Mexicano del Seguro Social, en el arranque del sexenio de Carlos Salinas, Emilio Gamboa, también asimilado por el sistema desde su primera juventud, con un dejo sarcástico me comentó:

—El otro día me preguntó el maestro Hank en dónde estaban los "niños sabios" —el propio Téllez amén de Herminio Blanco Mendoza, a la sazón subsecretario de Hacienda y luego secretario de Comercio, y Carlos Jarque, presidente del Instituto Nacional de Estadística, Geografía e Informática (INEGI), entre otros—, cuando transitábamos por la administración anterior. Y le solté: "¡pues en la primaria, profesor!; por eso no los veía usted".

Nos queda claro que las generaciones posteriores a 1968 sufrieron una severa metamorfosis. Los iconos variaron: la devoción al "Che", guerrillero universal, fue cediendo ante el simplismo de la asimilación tolerada. Así, los egresados de Harvard y Yale se encumbraron a la par de otros cuyo sostenimiento en la órbita del poder no se debe a las academias universitarias —el maestro Hank González y, en otro nivel intelectual, Víctor Cervera, el cacique yucateco.

Carlos Salinas, por ejemplo, en los tiempos turbulentos del movimiento estudiantil, tenía preocupaciones muy alejadas del contexto de rebeldía que se percibía por doquier, no sólo en las aulas universitarias: vivía por y para sus caballos de salto gracias a los cuales, en 1967, ganó una medalla de plata en los Juegos Panamericanos. Un héroe del olimpismo, nada menos, en plena bifurcación de caminos.

—Lo del doctor Zedillo es otra cosa —relata Sócrates Campos Lemus, uno de los discutidos dirigentes del histórico Consejo Nacional de Huelga de 1968—. Presume por haber participado con nosotros. Yo nunca lo vi; a Nilda, su esposa, sí.

—Pero hay testimonios fotográficos en los que se aprecia al joven Ernesto Zedillo al momento de ser golpeado por dos granaderos.

—Sí, ya lo sé. Sólo que lo estaban reprimiendo no por lo que había hecho sino por cuanto nos iba a hacer... después.

—¿Estuvo integrado o no al movimiento?

—Te repito: no me consta. Nilda Patricia, en cambio, era muy conocida. No fueron pocos sus galanes entre los líderes estudiantiles. A lo mejor por eso el doctor Zedillo prefiere no recordar ni se acerca al Instituto Politécnico Nacional después de que enfatizó haberse formado ahí.

Eso fue, más bien, durante la campaña por la "primera magistratura". Tiempo después, en Monterrey y con alarde de sensibilidad política, recordó que su *alma mater* era sólo la Universidad de Yale. Y se lo dijo, por cierto, a los alumnos del Tecnológico únicamente para parecer accesible. ¡Qué brillante!

—Por eso te digo —continúa Campos Lemus— que Zedillo tiene una responsabilidad moral e histórica.

—¿Sólo una? ¿Cuál?

—Si le encargó a Liébano Sáenz localizar la emblemática foto de su encuentro con los granaderos, ello demuestra que pretendía sacar provecho del movimiento para consolidar su imagen, ¿no?

—Me parece evidente, sí.

—En este punto está su falsedad, Rafael. Porque si él quisiera, en serio, honrar a los mártires del 68, y no me gusta caer en el martirologio, que conste, ¿por qué no ordena, con su jerarquía de presidente de la República, reabrir los archivos en poder del Ejército Nacional? ¡Ya pasaron treinta años!

—Según parece, sólo "filtra" lo que le conviene.

—Por eso te digo que Nilda y él no pueden eludir su responsabilidad histórica.

Tres décadas después las distancias son las mismas. Mientras los estudiantes de la Universidad Nacional, en plena catarsis, airean las banderas de la indignación contra las nuevas colegiaturas supuestamente actualizadas por el rector José Barnés de Castro tras un largo lapso de congelamiento demagógico, los hijos del matrimonio Zedillo, que se supone fruto de los días de fogosa rebeldía, están muy alejados de la realidad para ellos intangible. Los primeros protestan con la desesperanza de las frustraciones sociales a cuestas; los juniors Zedillo, acreditados visitantes de discotecas, la pasan muy bien en constantes festines impregnados de prepotencia.

—¡Soy el hijo del presidente! —exclamó Ernesto Zedillo Velasco, como acostumbra, en pleno desfogue bajo el sabroso calor de Cancún—. ¿No me aceptas una copa, güerita?

Enero de 1997. La singular comitiva del joven heredero entre cuyas hazañas se cuentan la bárbara agresión a un universitario, al que lesionaron los "guaruras" en la mandíbula y las extremidades, en la discoteca Lady'O de la ciudad de México, y la conversión de la residencia oficial de Los Pinos en un cine de barrio para presentar la *premier*, cobrada, de *Batman Forever* (más información en *Manos sucias* y *Galería del poder*,1996), de hecho asalta con prepotencia el local de

Christine, la disco de moda en el Caribe mexicano, e instalan en la misma su campo de "batalla".

—Lo que quiera, sin límites —ordenan los tales custodios a los meseros.

El muchacho se deja querer hasta la madrugada. Y cuando decide marcharse se encuentra con la joven pareja del gerente del local, una canadiense seductora, quien se resiste a la presión del influyente y sus guardias:

—¡No te va a comer! Bueno, casi. Es un chavo muy buena onda. Anímate.

—¿Qué quieren? Ya tengo plan. No puedo, de verdad.

Zedillo Velasco abandona el sitio a bordo de una Suburban; otras dos camionetas le siguen, repletas de vigilantes. Media hora más tarde, los dilectos miembros del Estado Mayor Presidencial en funciones de niñeras, retornan al centro nocturno e insisten:

—El hijo del presidente, fíjate lo que te estamos diciendo, quiere tomarse una copa contigo.

—¿De verdad es el hijo del presidente?

—Pregúntale a quien quieras. No la vas a pasar nada mal.

Las camionetas se pierden; la güerita también. Hay que hacer patria. Veinticuatro horas después, Zedillo Velasco reaparece en otro sitio de moda: La Boom. Le rodean diez amigos y su hermano menor, Emiliano —también un vástago de Carlos Salinas lleva este nombre como único sello "revolucionario" de su acervo.

—No tarda en comenzar la fiestecita —apunta un camarero experto en estas lides.

Beben, sin parar, varias botellas de vodka Absolute. En pocos minutos ninguno de los comensales se sostiene en pie. Ayudado por sus "nanas" militares, el junior se levanta y acude al cuarto de aseo. Instantes después, sale fresco, sonriente; ya no requiere de los brazos de sus protectores para sostenerse.

—Mire lo que me encontré en el lavabo —exhibe el asqueado mesero—. Es una pastilla de "éxtasis" —de efectos similares al antiguo LSD—. Con una de éstas tiene para toda la noche. Ya verá como ahora sólo nos va a pedir agua.

Y así es. El jovencito, eufórico al igual que sus compañeros de juerga, bebe y bebe agua para "evitar cruzarse". Los comensales de otras mesas, incómodos por el despliegue de altanerías en torno suyo, van marchándose.

—Así pasa cada vez que viene el niño éste —confirma uno de los encargados.

Los hastiados clientes, sin embargo, todavía atestiguarían, al retirarse, el episodio más significativo. Por la puerta de emergencia de la discoteca, los custodios sacan en vilo a Ernesto y lo suben a la Suburban sin placas. Dos rubias, chiquillas espléndidas, le siguen.

—¿Qué pasó?

—Lo de siempre —apunta el servidor hastiado—. Se propasó con la novia de un muchacho.

En tropel, dos parejas huyen de la furia de los custodios. Los soldados disfrazados de civiles les alcanzan y estrujan. Pero no les hacen nada. Los dejan ir.

—¿Sabe usted? Es que el chamaco ese también es influyente, muy influyente.

El mundo aparte al que pocos tienen acceso. No hace mucho, un joven estudiante me reprochó en uno de los auditorios del World Trade Center en la ciudad de México:

—Lo felicito por el éxito de sus libros... quizá le sienta mejor saber que le han causado mucho daño a personas inocentes.

—No es esa mi función. La denuncia pública, cuando los veneros de la justicia están contaminados, es el único recurso para intentar contrarrestar los abusos del poder. No critico porque hacerlo esté de moda; lo hago con el propósito de exhibir las inmoralidades públicas, los excesos del poder, tratando con ello de vencer las inercias.

Al término de aquella plática, uno de los organizadores, un tanto apenado, me dijo:

—No se preocupe. El que habló es hijo de Javier Coello Trejo.

—Y tiene derecho a expresar lo que siente. Pero si cualquiera de nosotros evitara cuestionar a una figura pública para no lastimar a sus familiares, ¿cómo podría escribirse la historia? Ni qué decir del gran debate de nuestro tiempo.

La doble moral de quienes ejercen el poder en México se perfila a la vista del encendido tabú de la vida íntima invulnerable. Descalificar a quien va más allá y señalar hacia las redituables particularidades de los actores públicos es, además de hipócrita, profundamente grotesco. Sobre todo cuando nada dicen, e incluso se solazan, ante el espectáculo de Bill Clinton y la becaria Lewinsky o a través de las picantes aventuras de los acartonados miembros de la realeza europea. En España, como muestra, escuché al libidinoso conde Alejandro Lecquio, uno de los favoritos de las llamadas "novelas del corazón" tan exitosas por ahí, decir sin rubor mirando a las cámaras de televisión:

—Se habla mucho de mi pene; ¿por qué no de mi culito?

Lo cito textualmente. En nuestro país, en cambio, la Procuraduría General no se atreve a indagar, siquiera, sobre la voluptuosa existencia de José Francisco Ruiz Massieu ni las singularidades de conducta de la familia Salinas. Dicen que el límite lo marca la ética. La falacia no puede prevalecer.

Andrés Manuel López Obrador, en la víspera de los desaseados comicios internos del PRD en busca del relevo de éste en marzo de 1999, me preguntó a quemarropa:

—¿Vas a hablar de los homosexuales en el poder?

—De la mafia, más bien. De lo que llamo "la cofradía de la mano caída".

—Mejor no lo hagas.

—¿Por qué, Andrés Manuel?

—A un político puedes calificarlo de muchas maneras... pero si le llamas *maricón*, aunque lo sea, se vuelve loco, pierde los estribos. Me preocupan las reacciones que pudieran tener los involucrados.

Un caso patológico perfila el tabú: los crímenes en contra del veterano político Gilberto Flores Muñoz y su esposa, ya ancianos, a manos de su nieto Gilberto Flores Alavez, encarcelado y sujeto ahora a un régimen de excepción en el reclusorio.

—Se evitaron los atenuantes en el proceso —me explica uno de los testigos de cargo—, con tal de que no se ventilaran las preferencias sexuales del victimario. Él y su pareja —al parecer el hijo de un ex secretario de Hacienda— actuaron de manera mancomunada... pero sólo a Gilberto le llegó la acción de la justicia, todo el rigor diríamos, con la súplica de su padre de que no se hablara nada más.

El atávico “machismo”, una vertiente de la homosexualidad de acuerdo con los psicólogos, se impone e incluso presiona a los protagonistas de los episodios de barbarie que descargan con prepotencia el tremendo peso de la sexualidad reprimida en los años de juventud. La investigación y tratamiento de los homicidios pasionales en México debiera abrevar en este penoso indicativo. Pero no. Se opta por el silencio y la impunidad.

En torno al asesinato de Francisco Ruiz Massieu, por ejemplo, el núcleo familiar, de cara a cada una de las partes, se vio violentamente afectado sobre todo por la ausencia de hilos conductores claros. Recuerdo, por ejemplo, el indignado reclamo de Daniela Ruiz Massieu Salinas, una de las dos hijas del infortunado ex gobernador de Guerrero:

—No puedes decir que mi padre era homosexual. No se vale.

—Explicamos —replicó el autor de un artículo en el que se asentó tal posibilidad como móvil potencial— que ésa era una de las líneas de investigación de la Procuraduría. No acusamos por acusar ni, mucho menos, para afectarte a ti.

—Pero no era homosexual...

—No tienes por qué decírmelo. Te entiendo.

Otra historia paralela. Recluido Raúl Salinas de Gortari como presunto autor intelectual del asesinato de su ex cuñado Pepe Pancho, y detenida Paulina Castañón, su segunda mujer, por las autoridades suizas y durante un breve lapso, en medio de cruzadas apuestas sobre las vertientes pasionales del drama, los primogénitos de ambos, frutos de otros matrimonios —la hija de Paulina lo es también del extinto Alfredo Díaz Ordaz Borja, vástago del ex mandatario—, se encontraron solos en la gran mansión paterna:

—Hay que considerar que los dos son jóvenes —me explicó una testigo cercana—. Y los dejaron solos.

—¿Qué sucedió?

—Se entusiasmaron entre sí. No puedo precisar si cohabitaron juntos... pero vivieron bajo el mismo techo.

—¿No es una suposición nada más?

—Desde luego que no. La señora Paulina, apenas salió de prisión, puso el santo remedio. Y ya no se les ha visto juntos a los muchachos. Y eso a pesar de que dijeron que ya estaban pensando en casarse.

Sin conducción, extraviada la moral familiar por la seducción del poder, las víctimas suelen ser los más cercanos. Por eso comprendí el reclamo del joven Coello cuando pudo desahogarse enfrentando a un crítico ante un auditorio repleto. Fue un gesto de temeridad, no de razón. Porque las secuelas hacia el interior de los afectados, sin culpa alguna, suelen ser terribles.

Por ejemplo, Carlos Salinas fue un criminal precoz a quien ni siquiera se trató científicamente para intentar que superara traumas y altanerías tras haber dado muerte a su sirvienta de catorce años. Carlitos, el hermano menor, sostuvo el arma por el cañón; Raulito, un inquieto rapazuelo, jaló el gatillo. Pero ello no fue óbice, siquiera, para que el padre de ambos, Raúl Salinas Lozano, ocupara una cartera ministerial pasado el perentorio escándalo. Y así hasta que llegó la campaña presidencial de 1988 con Carlitos, el mismo homicida infantil, encabezando la fórmula priísta.

—Existe el riesgo de que Manuel Clouthier, si gana la candidatura presidencial de Acción Nacional, utilice el penoso incidente de los niños Salinas para desacreditar al abanderado del PRI.

Fernando Gutiérrez Barrios, gobernador de Veracruz pero en funciones de cabildero en pro de las aspiraciones del "licenciado" Carlos Salinas en las vísperas de su "destape", dejó fluir la "confidencia" con el ánimo de despertar el interés periodístico apenas una semana antes de la convención panista en la que surgiría el "Maquío" como postulante indómito..

—Pero el tal Clouthier también tiene su historia. Dando y dando. Tenemos un expediente que lo descalifica como patrón y vamos a divulgarlo...

—¿De qué se trata, don Fernando?

—Pues que Clouthier, el "probo" inversionista de Sinaloa, esclavizó a sus colaboradores. ¿Sabía usted que, de acuerdo con testimonios concretos, este señor solía esconder a sus empleados cuando el Instituto

Mexicano del Seguro Social y la Secretaría de Hacienda le enviaban inspectores?

—Pero, ¿no se daban cuenta?

—Los encerraba bajo cuatro llaves, Rafael, con tal de no darles de alta en el Seguro. Así se ahorraba una buena partida.

La sangre no llegó al río. Ni Clouthier presentó a los familiares de aquella mozuela "cazada" por los juniors Salinas con la escopeta del padre, ni Salinas y su equipo recurrieron a la exhibición del supuestamente confuso pasado de don Manuel. El arranque, cuando menos, fue terso, no así la culminación de la reñida contienda en la que un tercero en discordia, Cuauhtémoc Cárdenas, encabezando al Frente Democrático Nacional, a punto estuvo de lograr el descarrilamiento de la máquina oficial.

No obstante, la ruta del "Maquío" quedó trunca. Años más tarde, en noviembre de 1996, ante un auditorio repleto de jóvenes universitarios en la cálida Monterrey, expresé mi convicción de que el bravo empresario-político logró sacudir, hasta sus cimientos, al anquilosado *establishment:*

—Y siempre hubo interesados —concluí—, antes y después de la justa presidencial de 1988, en que el derrotero de don Manuel quedara trunco.

En ese marco, un evento cultural de "Gente Nueva"—admirable cohesión de sangre bisoña e incipiente madurez política—, Tatiana Clouthier, avecindada en aquel momento en Nuevo León, sin identificarse, me estrechó la mano:

—Gracias por lo que dijo del "Maquío".

—¿Simpatizabas con él?

—Era mi padre. ¿Podríamos hablar un momento?

La inteligente estudiante, contraste notable con los ensoberbecidos "niños bien" que tienen la existencia resuelta, ansiosa de recordar y, sobre todo, de encontrar respuestas, me preguntó sin alterar la voz:

—Dígame, ¿usted cree que la muerte de mi papá se debió a un simple accidente de carretera?

—Es curioso, Tatiana. Lo mismo que les pasó a ustedes lo viví en carne propia. Casi me obligan a aceptar fatalmente la versión oficial que daba cuenta del desbarrancamiento del automóvil de Carlos Loret de Mola en "El Filo Mayor". Después, sumando evidencias y confrontando hechos, me percaté de que todo aquello no era sino una siniestra mentira.

—Entonces, ¿usted piensa que lo mataron?

—Temo, Tatiana, que existen muchos hilos sueltos al respecto y que cuando esta circunstancia se da casi siempre es por ocultar un crimen.

—¡Es lo que pienso yo! Se precipitaron todos cuando se dio el "carpetazo". Y ahora es más difícil investigar y exigir justicia.

—Los grandes operadores del sistema, por desgracia, saben bien cuáles son los puntos débiles de los ofendidos. Todos, más aun cuando sobreviene un drama que no podemos entender, deseamos evitar los manoseos sobre nuestros seres queridos que sufren muertes violentas; no quisiéramos ahondar más ni lastimarnos con alguna imagen degradante o cruel. De ahí viene la premura con la que los grandes manipuladores actúan para cerrar los expedientes sin dar lugar a mayores explicaciones.

—¿Qué debemos hacer?

—No callar, Tatiana. Insistir.

La joven Clouthier, de clase acomodada pero con un excepcional ejemplo como guía, está situada en el otro extremo como contraste de los tantos imberbes e insolentes vástagos de altos funcionarios que se creen merecedores de canonjías y reverencias. Sobre éstos, en aquella jornada en la capital de Nuevo León, puntualicé:

—Son también víctimas de un sistema podrido. Me dicen que es una felonía exhibirlos porque arrastrarán desprestigio y odio desde su origen mismo; sin embargo, ¿cómo podemos lograr que los abusos cesen? ¿Y explicar a quienes son afrentados que no hay justicia para ellos porque sus agresores son los hijos del presidente o los del gobernador?

—Pero... ¡es meterse en la vida privada! —replicó una veinteañera.

—El regodeo de los juniors que invaden las discotecas y habilitan a sus guaruras a golpear y mancillar a los clientes comunes, ¿es parte también de la vida privada de los funcionarios porque se trata de sus hijos intocables? Tengo evidencias, por ejemplo, de algunas de las hazañas de los herederos de los doctores Salinas y Zedillo. ¿Me las callo para no romper el tabú?

Aquel encuentro, apasionante, me confortó. Sobre todo por el vigor que me demostró la más pequeña de las hijas del "Maquío", señal evidente de que los jóvenes no renuncian a sus raíces cuando se enorgullecen de ellas. Otros, al correr del tiempo, bajan las cabezas y eluden las miradas, injustas si se quiere, de aquellos ciudadanos comunes humillados por el poder.

Semanas después, en Culiacán, tuve ocasión de conocer al primogénito de Manuel Clouthier, del mismo nombre, convertido en exitoso editor de *El Noroeste*.

—Manuel —le dije—, tu hermana Tatiana me sembró una duda. ¿La familia Clouthier y tú en lo personal niegan la historia oficial sobre la muerte de "Maquío"?

—Así es. Fue muy doloroso llegar a esta conclusión.

—¿Y qué van a hacer?

—Trataremos de que se reabra el caso... pero no tenemos mucho eco.

—Lo malo, Manuel, es que hasta los miembros distinguidos del PAN, como el "líder" Carlos Castillo Peraza, hicieron lo posible para evitar cualquier indagación al respecto y aceptaron la versión del accidente cuando aún nada podía sacarse en conclusión.

—Jamás se lo perdonaremos a Carlos. Yo no me entiendo con él, la verdad. Fue muy, pero muy extraño su comportamiento.

—¿Se sintieron traicionados?

—Lo mandé al demonio, si eso quieres saber.

—¿Sabías que tu padre concertaba su posible incorporación al Partido de la Revolución Democrática, cansado quizá del zigzagueante comportamiento de la dirigencia panista de entonces?

—Sí, supe algo. Mi padre tenía muchas dudas al respecto pero sí llegó a planteárselo.

—¿Podría ser éste el móvil de un posible atentado?

—¿Cómo saberlo, Rafael? Habrá que investigar.

Dolor en un extremo; prepotencia inaudita en el otro. Los hijos de potentados y usufructuarios de la administración pública, no todos claro, transitan por un mundo aparte, lejano al agobio brutal que sacude a miles de mexicanos silenciados, perseguidos, amenazados. Un escenario enseñoreado por el chantaje, la hipocresía y la simulación. No todos los juniors son del mismo calibre aunque, en definitiva, son perfiles de una sociedad fracturada por una nueva separación clasista: por un lado, los privilegiados y sus entenados; por el otro, los demás, condenados siempre a callar.

Varios de los testigos de la matanza de Tlatelolco, el 2 de octubre de 1968, entre ellos Oriana Fallaci, se sintieron doblemente sorprendidos cuando dejaron atrás la ensangrentada Plaza de las Tres Culturas:

—A doscientos, trescientos metros del lugar de la masacre, los coches seguían circulando de manera normal y los transeúntes parecían distantes, ajenos a lo que acababa de pasar. Nada indicaba la dimensión de la tragedia. Diez días después se inauguraron los Juegos Olímpicos.

Nunca pasa nada. En parte porque nos conformamos, pero también como consecuencia de una viciada relación con el poder: quien habla de más pierde la tranquilidad... si ésta puede darse bajo el ominoso peso de las humillaciones. Hay miedo, como bajo las dictaduras.

—Yo ya perdí. Ni modo de ganarle en un juicio al hijo del presidente. Y eso si me dejan llegar hasta ahí.

Habla Armando, quien en la noche del 17 de marzo de 1995, apenas ciento siete días después de la asunción del doctor Ernesto Zedillo a la "primera magistratura", fue agredido por los custodios del primogénito de éste sufriendo parálisis facial, fractura del maxilar y golpes severos en las costillas y las piernas (véase *Manos sucias*, 1996). ¿La causa? El "primer junior" pretendió sobrepasarse con la novia del entonces estudiante de la Facultad de Ciencias de la Universidad Nacional Autónoma de México, en la discoteca Lady'O al sur de la capital de la República. Y como éste, en una reacción natural, empujara al insolente, sufrió el embate de los honorables miembros del Estado Mayor Presidencial en funciones de *babysitters*. Armando, desde luego, no quiere dar a conocer su apellido.

—Además —prosigue Armando—, no quiero que le pase nada a Ximena, mi novia. Mejor lo dejamos así.

Y, dolor de por medio, Armando y Ximena, dos jóvenes mexicanos que debieran creer en su país, optaron por callar, impotentes, con tal de evitar la confrontación directa con la familia más poderosa, la que habita en Los Pinos y dispone, a lo largo de seis años, de vida y destino de un conglomerado plural sólo supuestamente democrático. Un poder, sí, que no admite contrapesos ni cede ante los personajes célebres en otras ramas.

—Señor... ¡la niña está en la habitación del cantante! —comunicó uno de los inefables custodios al doctor Carlos Salinas cuando apenas transcurría el segundo año de su régimen.

—¡Proceda de inmediato!¡Y en el mayor sigilo! —fue la orden telefónica, sin réplica posible.

De inmediato, media docena de niñeras del Estado Mayor Presidencial, el grupo de élite que podía competir en preparación y armamento con el Ejército Nacional, se precipitaron sobre una de las suites del conocido Hotel Fiesta Americana, de Guadalajara, en la que un artista de moda, pletórico, disfrutaba a sus anchas del dinero y la fama.

—¡Tranquilos, muchachitos! —gritaron los invasores de la privacidad.

—Pero, ¿qué es esto? ¿No saben con quién se están metiendo? —clamó el ídolo de masas al tiempo de que lo reducían, con violencia, los guaruras vestidos de civil.

Con rapidez, la chica que le acompañaba fue sacada sin permitirle reclamo alguno:

—¿Mi papá sabe esto? ¡No le digan!

Y el cantante, Luis Miguel, desapareció de los escenarios, como por obra de magia, durante un largo tiempo. Mientras, por órdenes de la superioridad, fue sometido a un tratamiento especial para superar la dolorosa dependencia a cierto tipo de pastillas. Le trasladaron en avión especial, de la Fuerza Aérea Mexicana, a una residencia especial en Estados Unidos sin que pudieran hacer algo él y sus múltiples representantes. Lo llevaron en vilo fuera de México y sólo reapareció cuando la furia presidencial menguó.

—Es que el presidente —el doctor Salinas, se entiende— es muy celoso. No admite el más pequeño comentario sobre la belleza de su hija Cecilia, por ejemplo.

(La confidencia, de alguien "muy cercano", exhibe la sinrazón de la prepotencia.)

—Debiera sentirse orgulloso, ¿no?

—Lo está pero se excede. El otro día Cecilia le acompañó durante una gira por el Distrito Federal. Y alguien, juguetón, le gritó: "¡Suegro!" El presidente por poco comete una imprudencia.

—¿Se disgustó por eso?

—Subió al autobús refunfuñando, casi fuera de sí. Y nos gritó a todos: "Si no fuera el presidente, a este *cabroncito* le iría muy mal!

—¿Cómo reaccionó la jovencita?

—Sólo sonrió y se encogió de hombros. Está acostumbrada.

Semanas después, en una escala del periplo presidencial por Europa, el doctor Salinas, su primera mujer, Doña Cecilia Ocelli, y su hija, compartieron mesa con los Reyes de España a quienes acompañaba, claro, el Príncipe de Asturias, Felipe de Borbón, cuyo retraso por matrimoniarse concita entre sus súbditos todo tipo de rumores, algunos de ellos ampliamente documentados. La disparidad de la forzada pareja de jóvenes hizo imposible, siquiera, una fructífera amistad.

Todos los "juniors" de la "realeza" mexicana —nuestros "mandatarios", más bien mandantes, cuentan con más canonjías que cualquiera de las testas coronadas de Europa y Asia— confirman la rutina de la prepotencia por encima de la "medianía" republicana a la que dijo someterse el doctor Zedillo en la hora de su exaltación presidencial. Son espejos fieles de sus padres, víctimas si se quiere, con un trayecto definido que no es posible soslayar en el tratamiento y análisis de las circunstancias que han llevado al desplome del presidencialismo y al anquilosamiento del llamado "sistema".

Federico de la Madrid, sospechoso por sus vinculaciones con el narcotráfico, exhibe el alto grado de las simulaciones, morales y políticas, en la cúpula del poder:

—Los negocios de Federico —me explica un agente investigador estadounidense—, como el de los emporios camaroneros en Campeche, en donde el intocable y sus socios despojaron a pescadores y pequeños industriales, sólo "tapan" el origen del dinero sucio.

—¿Y su padre, el ex presidente?

—Se preocupa mucho por "aclarar" los rumores acerca de que mantiene depósitos millonarios en dólares en los bancos suizos... pero no procede, como amaga, contra quienes insisten en el tema desde que fue exhibido por Jack Anderson, el columnista del *Washington Post* —y de medio centenar de cotidianos— que puso el dedo en la llaga. De la Madrid nunca lo demandó, ni durante ni después de su periodo presidencial.

Lo mismo sucede con el caso de Federico, el vástago de las empresas pujantes. Nadie lo acosa. La familia De la Madrid, como sentenció José López Portillo al juzgar a quien había ungido como su sucesor, creció "hacia adentro" sin dejar mayores huellas del tremendo acaparamiento de riquezas que, por cierto, fueron puestas al cuidado, por consejo de Emilio Gamboa Patrón, del "rey Midas" destronado del salinato: Carlos Cabal Peniche, el gran financiero aprehendido en Australia y convertido en el nuevo burlador de la justicia mexicana. Los sexenios se tocan.

El de Federico de la Madrid es el caso más sintomático de la penetración de la mafia en el apretado círculo familiar del poder en México. Pero otros nombres muestran la explosiva, dramática relación de los "primeros juniors" con sus padres, los detentadores sexenales de la presidencia.

José Ramón López Portillo, llamado "el orgullo de mi nepotismo" en el jubileo nacionalizador de su padre, refleja, por sí solo, la aguda diferencia en el trato hacia los hombres que pasan por Los Pinos. Si don José fue frívolo por excelencia, su heredero, beneficiado en vida por los caudales del político en el ostracismo, es fiel a la egoísta doctrina de cuantos exaltan su egolatría más allá de cualquier limitante:

—¡Ya no me deja pasar a la alberca! —se quejó el semiparalizado don José al referirse a la extraña mutación de su vástago.

En la llamada "colina del perro", tres residencias espléndidas, construidas con los privilegios sólo concebibles cuando se está al frente de la presidencia —materiales a precios de ganga y mano de obra gratuita gracias al aprovechamiento de humildes policías convertidos en albañiles—, dieron lugar al conjunto que indignó a la opinión pública. López Portillo se justificó:

—¡Es que soy gregario!

Y por lo mismo dejó que la casa destinada a José Ramón albergara la piscina y la cancha de tenis, dos rincones entrañables en los que solía ejercitarse el ex mandatario. Ahora tiene las puertas cerradas... las de las instalaciones y las de su hijo ensoberbecido al que le pesa el apellido, acaso también la descalificación pública, y asume con ligereza un nuevo *status*.

Finalmente, los Salinas y los Zedillo se conectan entre sí; los jóvenes "juniors", sin alternar, a veces coinciden por las discotecas de moda en la costa del Pacífico o en las playas del mágico Caribe mexicano. Sus tropelías son conocidas al lado de otros vástagos muy conocidos... como cuando se pusieron a arrojar televisores desde los pisos superiores del hotel Krystal en Bahía de Huatulco, Oaxaca. Una auténtica lluvia de prepotencia bajo un acuerdo tácito trasladado al gerente del inmueble:

—Ni los molesten. Pueden hacer cuanto quieran.

Y, desde luego, lo hacen.

5. Sotanas y uniformes

—¿Por qué no critica usted también a las jerarquías de la Iglesia comprometidas con la mafia?

Confieso que la pregunta me dejó helado. En el Teatro de la Ciudad de Nuevo Laredo, Tamaulipas, una madura señora, enérgica, demandó contestación. De tiempo atrás percibía que el momento podía llegar como consecuencia de algunos pasajes comprometedores ya narrados, entre éstos el extraño encuentro entre los hermanos Arellano Félix, los "capos" supuestamente más buscados en México, y el entonces nuncio apostólico Girolamo Prigione, unos meses después del bárbaro asesinato del cardenal Juan Jesús Posadas Ocampo —mayo de 1993— en el aeropuerto de Guadalajara.

Aguardé unos segundos y traté de estructurar una respuesta:

—También los periodistas debemos creer en algo; necesitamos, como todos, un refugio. Porque, en ocasiones, es terrible enterarnos de algunas cosas que preferiríamos ignorar. Y nuestro deber, en obsequio a la verdad, es difundirlas.

—¿Eso quiere decir que callará?

—No. Sólo que debo hacer un ejercicio de ponderación más amplio en este terreno.

—¿Es usted creyente?

—Soy católico pero esta condición no debe restar, en ningún caso, la objetividad. De otra manera estaría traicionando a mi propia conciencia.

Poco antes de aquel encuentro en la frontera, con asistencia de algunos colegas estadounidenses, monseñor Prigione salió al paso de las descalificaciones contra la figura del cardenal Posadas y me dijo:

—Yo sé que gastó un millón de pesos en el arreglo de la residencia arzobispal —la Quinta San Pedro—. No tenía alternativa. Su antecesor, el cardenal José Salazar López vivía en un apretado departamento que no le permitía el mínimo roce social. Y monseñor Posadas necesitaba un mejor escenario.

También conocí en esos días, transmitida por un acucioso investigador, la versión, jamás investigada de manera oficial, sobre el asesinato de uno de los hermanos de Posadas Ocampos, en Los Altos, Jalisco, semanas antes del crimen contra el alto prelado.

—Fue una ejecución limpia. De éste, del hermano del Cardenal, sí hay suficientes evidencias acerca de su vinculación con la mafia.

—¿Podrían estar conectados los dos asesinatos?

—Es una posibilidad, desde luego.

Prigione, reacio a aceptar cualquier historia distinta a la oficial, debió confrontar la presión del Episcopado mexicano, sobre todo de la diócesis tapatía, que en modo alguno aceptó o reconoció la sesgada tesis gubernamental sobre el fuego cruzado y la "lamentable confusión" de los tiradores en relación con la víctima, a la que le dispararon a quemarropa, con saña increíble.

—Cuando me convenzan de lo contrario, actuaré en consecuencia —definió su postura el nuncio, evitando el jaloneo con las autoridades judiciales en un momento "delicado": la víspera del primer viaje del Papa Juan Pablo II, con carácter de jefe de Estado ya reconocido por el gobierno de México, a Yucatán.

Y, desde luego, pese a las dudas sembradas, ningún avance, mucho menos alguna rectificación, se ha dado. Ni siquiera en relación con la posibilidad de que el nuncio, polémico siempre, hubiese sido un blanco fallido:

—Podría ser, ¿verdad? —eludió profundizar Prigione cuando le interrogamos al respecto—. Averiguarlo es tarea de las autoridades, no mía.

Lo que nadie explica, desde luego no quien fungía como procurador general de la República en aquella jornada de barbarie, el doctor Jorge

Carpizo McGregor, es por qué el tiroteo, el supuesto "fuego cruzado", se inició en el interior del aeropuerto y no a la llegada de la víctima al estacionamiento del lugar. Hay testigos que lo corroboran así, incluyendo el propio Prigione, quien llegó a la capital de Jalisco en una aeronave de Mexicana, instantes después del drama; precisamente Posadas acudía a recibirlo:

—Ya me encaminaba a la salida —me confió el nuncio—, en busca del cardenal, cuando, a gritos, me obligaron a volver al avión. Los sobrecargos me explicaron, angustiados, que estaban asaltando un banco en la terminal. Yo escuché algunos disparos.

De haber sido así, la hipótesis acerca de que los mercenarios armados aguardaban al célebre "capo" Héctor "el Güero" Palma para acribillarlo cuando arribara al campo aéreo, deja de tener sustento. Y, por tanto, el expediente no debe cerrarse. No obstante, la Procuraduría General, por decisión de quienes han sido sus titulares desde entonces, no indaga más, sencillamente valida, una y otra vez con muy escasas diferencias, de la misma, superficial crónica de los hechos. Como sucede también en cuanto a los grandes escándalos criminales de 1994:

—¿Tendrá éxito el libro de Mario Ruiz Massieu? —me interrogó el editor en ocasión de la salida de *Yo Acuso* bajo la autoría del ex fiscal de hierro— ¿Habrá repercusiones?

—Funcionará la primera edición; las siguientes no sé.

—¿Por qué tan pesimista?

—No señala para nada a Raúl Salinas de Gortari —aún no ocurría la detención de éste—, y elude entrar de lleno sobre los móviles y los posibles ejecutores intelectuales.

Precisamente instantes después de la presentación del libro citado, el 28 de febrero de 1995, el hermano mayor del ex presidente Salinas fue asegurado y presentado como presunto instrumentador del crimen contra José Francisco Ruiz Massieu. ¿Casualidad? No obstante, desde ese momento y hasta ahora, no ha podido probarse, desde la óptica jurídica, la responsabilidad del controvertido personaje a quien, para mantenerlo en prisión, ya no en la cárcel de alta seguridad sino en Almoloyita, una cárcel estatal, y con sentencia reducida —de 50 años a sólo 27—, debieron fincársele otras causas con aportaciones de las procuradurías de Suiza y Francia. Vaya eficiencia la de los ministerios públicos mexicanos.

Y todo ello para no profundizar en las desviaciones de conducta de los involucrados, en sus preferencias íntimas se entiende. Otra vez, el peso de la "cofradía de la mano caída" trasladado al campo judicial en el que ya es sintomática la presencia e influencia de juristas con un comportamiento digamos singular, si bien no en cada caso, tampoco en todos los casos, se ha dado el amafiamiento homosexual. Pero no es explicable la persistencia del hilo conductor.

—¿Podemos situar el inicio del fenómeno durante la gestión, como abogado de la nación, del doctor Jorge Carpizo? —me preguntaron en un foro universitario.

—No sería preciso. Debemos hacer una diferenciación: hay quienes reclutan y corrompen a partir de sus tendencias íntimas; otros, en cambio, no hacen de su vida privada un festín. En el segundo apartado podemos situar al doctor Carpizo, a diferencia de algunos de sus sucesores, entre ellos Diego Valadés, el primero en "manosear", con aparente y execrable ingenuidad, las secuelas del asesinato de Luis Donaldo Colosio.

—¿Se van tapando unos a otros?

—Es muy factible. Si consideramos la posibilidad de que el homicidio de Ruiz Massieu pudiera haberse engendrado en un drama de alcoba, ¿no es extraño que un personaje como Valadés, a quien se desacreditó sólo por su supuesta cercanía política con Manuel Camacho Solís, en ese entonces comisionado para la paz en Chiapas, se haya dejado rebasar, de manera descarada, por cuantos infectaron la escena del crimen, es decir Lomas Taurinas, sembrando ojivas y desapareciendo evidencias claves al punto incluso de "transformar" el rostro del homicida material, Mario Aburto?

No olvidemos que, en esos días de desatada brutalidad, del imperio de la sinrazón bajo la égida de Carlos Salinas, otro elemento de sinuoso comportamiento personal, quien presumía de tener "derecho de picaporte" para entrar sin anunciarse al despacho presidencial, Joseph-Marie Córdoba Montoya, mantuvo su relevancia hasta la víspera del "destape" del candidato sustituto, el doctor Ernesto Zedillo, un disciplinado colega del franco-español entre los economistas de aquel régimen ensangrentado. ¿Coincidencias de nuevo?

Y la tendencia continúa. Alberto Cárdenas Jiménez, primer gobernador jalisciense de filiación panista, me miró fijamente cuando le expresé mi convencimiento acerca de la penetración, en la estructura gubernamental, de los cuadros homosexuales:

—Están presentes en todos los niveles —comenté—, y tienen gran influencia en las decisiones claves. ¿Usted lo ha percibido, gobernador?

—No me consta de nadie en particular, pero...

—No le extraña la cuestión, ¿verdad?

—Desde luego que no. En diversas ocasiones me han llegado informes al respecto, nada más.

Ya de salida, al dejar la espléndida "Casa Jalisco", residencia oficial de los mandatarios locales, Cárdenas Jiménez volvió sobre el tema:

—¿Qué tan determinantes son esos... señores? —preguntó.

—Más, mucho más de lo que podríamos suponer en corto.

—¡Ah! Ya voy atando cabos.

Quizá por ello, bajo el peso de la consigna y por el imperativo de proteger a la nueva fraternidad en boga desde las alturas políticas, parezca ingenuo insistir en el esclarecimiento de los escándalos que modificaron el perfil histórico del país para afrenta de todos los mexicanos de bien. No de los mafiosos, desde luego.

El círculo se cierra. A los temores manifiestos acerca de un cada vez más notorio paralelismo entre Colombia y México, sólo en referencia a los "capos" y las *vendettas*, se unen las extrañas, inexplicadas evidencias que exhiben a las jerarquías militares, civiles y religiosas, en aparente maridaje con los zares del vicio. "Dime con quién andas, reza el refrán, y te diré quien eres".

—¿Conoce usted personalmente al arzobispo Carlos Emilio Berlié Belauzarán? —me preguntó el nuncio Priogione semanas después de la designación del nuevo jefe de la grey yucateca.

—No, excelencia. Sólo tengo una referencia: sus antecedentes en la diócesis de Tijuana. Dicen que era confesor de los hermanos Arellano Félix.

—¡Tonterías! Yo tampoco los confesé cuando vinieron a la Nunciatura en busca de refugio. Pero, como pastor, no podía cerrarles las puertas.

La justificación de Prigione, quien vive ahora en Alessandria en su Piamonte natal, no resulta convincente. No lo es en cuanto a la intervención del padre Gerardo Montaño, muy cercano a Berlié Belauzarán, quien escudó y llevó a los mafiosos "más buscados" a la sede diplomática de El Vaticano.

—Yo le recriminé —trató de excusarse Prigione— cuando me trajo a Ramón Arellano Félix; luego vendría Benjamín. Se lo reclamé.

Sin embargo, la reincidencia resulta cuando menos sospechosa. Porque, además, las autoridades, incluyendo al entonces presidente Carlos Salinas y a quien fungía como procurador general de la República, Jorge Carpizo McGregor —1993—, optaron por favorecer la retirada de los delincuentes, sin intervenir, y ni siquiera se preocuparon por ubicarlos después. Y eso, insisto, a pesar de estar calificados los señores Arellano como los de mayor estatura criminal para la justicia mexicana.

—Hubiera sido impropio —alegó Prigione— que se hubiera puesto en peligro a la misión diplomática. No podía correrse el riesgo de que tomaran la Nunciatura.

—Pero, ¿y cuando se fueron? ¿No era ése el momento preciso para actuar, sobre todo si, como usted mismo dice, fueron avisados el presidente y el procurador de la presencia de los "capos" en la Nunciatura?

—Eso ya no me correspondía. Fue decisión del gobierno, del presidente.

La figura del padre Montaño, el enlace que posibilitó la búsqueda del "perdón" a los mayores facinerosos de México —una acción de buen samaritano para unos, de abierta complicidad para otros—, se proyecta hacia la del arzobispo Berlié quien, por cierto, fue consagrado en Yucatán apenas unas semanas antes de la parodia electoral —mayo de 1995— que condujo, con el aval del doctor Ernesto Zedillo, al cacique Víctor Cervera hacia su segunda reelección.

De un extremo a otro de la geografía patria, la aureola de Berlié se extiende en los territorios dominados por la peor mafia de todos los tiempos: Tijuana, la frontera contaminada por la influencia de los Arellano y el crimen contra Colosio, y Yucatán, la entidad que está convertida en el "puente" ideal entre los mercados de estupefacientes de Sudamérica y Estados Unidos.

—A Cervera le vino bien la llegada de Berlié —sugerí a Prigione en los días últimos de su gestión como representante del Estado Vaticano—. Era el visto bueno que le faltaba. El arzobispo, desde su llegada, estrechó vínculos con las autoridades estatales, sobre todo con el cacique, y comenzó a trabajar contra la explicable polarización política de los religiosos peninsulares.

El alto prelado musitó algo que no alcancé a descifrar, juntó las palmas, sonriente, y evitó la discusión:

—¡Ah! ¡Esa su mente de novelista...!

El fraude electoral, acreditada oficialmente una nimia ventaja de veinte mil votos a favor de Cervera desdeñándose las múltiples irregularidades documentadas, se consumó; la alianza entre el clero y el gobierno yucateco, pese a la resistencia del influyente *Diario de Yucatán*, también.

¿No cabría que los misioneros, de todos los niveles, infatigables en la impartición de la doctrina por esos pueblos de Dios, aportaran lo que saben acerca de la penetración del narcotráfico en la vida comunitaria? ¿Acaso el apostolado, cita recurrente cuando se trata de eludir una controversia política, les impide cumplir con funciones sociales más trascendentes que la cosecha de limosnas a favor de los marginados carentes de oportunidades laborales?

Al sucesor de Prigione en la Nunciatura, el español Justo Mullor García, quien fuera obispo de Mérida, la de Extremadura, no le agrada entrar en el deslinde del pasado:

—Cada quien en su momento, en su tiempo —me dijo—. Monseñor Prigione cumplió un ciclo; a mí me toca otro.

Y se deja querer por los feligreses con gran peso en la sociedad. Le vi disfrutar de una paella en Texcoco, en ocasión de la feria de marzo de 1998, al lado de dos de los empresarios con mayor raigambre: don Antonio Ariza Cañadiña, quien hizo crecer el emporio Domecq en tierras aztecas, y Juan Diego Gutiérrez Cortina, presidente del grupo Gutsa casi desmantelado junto a la oscura historia del World Trade Center, favorecido por las generosas aportaciones de Banco Unión con el respaldo del Fondo Bancario de Protección al Ahorro (Fobaproa). Luego, Mullor fue a los toros.

—¿Vino usted a ver al "nazareno" del toreo? —intenté bromear cuando el valenciano Enrique Ponce se situó en la puerta de cuadrillas.

—No, hombre. No es para tanto —respondió, apurado, dejándose ver con un sombrero de palma tejido especialmente para él y con su nombre y apellido como único emblema.

—Está usted muy bien acompañado, excelencia...

—¿Éste no es de los que más me critican? —preguntó, sarcástico, a Gutiérrez Cortina, señalándome—. Tiene mucho filo.

De modales refinados, culto y enérgico, Mullor García afianza relaciones y opta por no entrar —"No es el momento"— en el gran debate nacional. No ocurre lo mismo con otros altos prelados, entre ellos el cardenal Norberto Rivera Carrera, arzobispo de la ciudad de México, quien justifica su discurso social:

—No podemos permanecer indiferentes ante las desigualdades y la violencia desatada.

—¿Eso significa intervenir en política?

—No me parece.

—Sin embargo, la Iglesia se hace sentir.

—Porque es universal. Ahora mismo nuestro objetivo son los jóvenes; los estamos organizando para que luchen por mejorar, sin decaimientos y, sobre todo, sin violencia.

—¿Percibe usted el riesgo de que se produzcan estallidos?

—Sí, lamentablemente.

Quienes saben, matizan. En otro escenario, ¿hasta qué punto, por ejemplo, llegaron las presiones de los militares luego de la asunción al poder de Miguel de la Madrid en 1982? La versión que conozco, transmitida por Emilio Gamboa Patrón, el más cercano de los servidores del mandatario, sólo deja traslucir el aspecto pecuniario como fundamento de una velada protesta. El malestar, está claro, se incubó antes, tiempo atrás incluso del pretendido parteaguas de Tlaltelolco cuando la sinrazón, movida por la febril apuesta por la sucesión presidencial, ensangrentó al país. Igual que en 1994. Entre los oficiales se cuenta otra historia:

—Cuando el presidente Adolfo López Mateos meditó sobre la posibilidad de declararle la guerra a Guatemala —explica un análisis confidencial en mi poder—, luego de las incursiones del ejército de aquel país en perjuicio de nuestra soberanía, el mandatario fue informado de que las Fuerzas Armadas de México no estaban en condiciones de combatir. Los guatemaltecos contaban con mejores armamentos y con soldados mejor preparados. La revelación angustió a López Mateos quien, presionado, optó por la salida diplomática. A partir de entonces, se decidió elevar las inversiones a favor de la Secretaría de la Defensa Nacional.

López Mateos se vio entre la espada y la pared por el descuido evidente de los gobiernos civiles hacia la soldadesca. La derrama a favor de ésta, a partir de entonces, fue generosa. Luego vendría el episodio del 2 de octubre de 1968 con la perspectiva de un golpe de Estado merodeando entre los uniformes. Los compiladores gubernamentales destacan, en este punto, la lealtad inmarcesible del general Marcelino García Barragán quien, con el control de la capital de la República en sus manos, optó por la institucionalidad y no cedió a la tentación de perpetrar una asonada.

—Entre los soldados, como entre las putas, nos decimos siempre la verdad —sentenció Javier García Paniagua, hijo de don Marcelino, ya desaparecido también, tratando de diluir las sospechas acerca de una posible intervención militar en los crímenes políticos del periodo de Miguel de la Madrid Hurtado—. El Ejército es inocente. De veras.

No obstante, las huellas son ominosas. Recuerdo, por ejemplo, el apuro del general Arturo Riviello Bazán, secretario de la Defensa Nacional durante el periodo presidencial de Carlos Salinas, cuando insistí en abrir los expedientes relacionados con el asesinato de Carlos Loret de Mola, sobre todo aquellos que dieron cuenta del paso del periodista por el retén militar "El Guirindalito", Guerrero, en la noche del 5 de febrero de 1986:

—Yo sé que, para usted, el Ejército es la parte acusada. Pero le digo: nada ocultamos.

—Sólo intento determinar la verdad, general.

—Bueno, necesitaríamos una orden precisa del señor presidente de la República.

Fue entonces cuando el doctor Salinas empeñó su palabra, que después incumpliría —*Denuncia, Presidente sin Palabra.* Grijalbo, 1995—. Y, por supuesto, el citado general evitó ahondar en la materia aduciendo la conveniente amnesia que es fuente de la impunidad. Porque, contra lo que se aprecia a simple vista, no siempre el titular del Ejecutivo federal puede hacer valer su condición de "comandante supremo" sin mediar réplica alguna por parte de los uniformados.

La densa relación de la jerarquía militar con las autoridades civiles, desde que el general Manuel Ávila Camacho —presidente de la República de 1940 a 1946— decidió entregar la conducción nacional al licenciado Miguel Alemán Valdés, se enmarca en una constante puja presupuestaria. Por ejemplo, Luis Echeverría Álvarez —1970-1976— debió contrarrestar la influencia de los generales todavía motivados por la exacerbación de la fuerza en la Plaza de las Tres Culturas.

—Echeverría —continúa el análisis confidencial—, preocupado por la reacción del mando militar a sus declaraciones en pro de los "mártires de Tlatelolco", mismas que entrañaban una tácita condena a los responsables del operativo, decidió favorecer al Estado Mayor Presidencial a punto de que éste fue dotado de armamento sofisticado, que no llegó al Ejército Nacional, consolidándose así un cuerpo de élite bajo la sola influencia del presidente de la República.

Un ejército frente a otro, nada menos. De acuerdo con las estimaciones de quienes adiestran a las tropas, a partir de entonces, y más aún luego de la derrama que continuó José López Portillo hacia el mismo apartado, uno solo de los miembros del elitista Estado Mayor es capaz de superar, en una confrontación directa, ¡a seis elementos del Ejército! Tal fue la distancia establecida, bajo el alegato de la seguridad del "primer mandatario", para sancionar a los oficiales inquietos y reducir el riesgo inherente al incubado golpismo que surgió en 1968.

A finales del periodo echeverriano, un gobernador, obviamente con la discreción del caso, transmitió al presidente una velada queja por el comportamiento de los dilectos miembros del Estado Mayor en la península yucateca. Y el "primer mandatario" respondió:

—Sí, lo sé: abusan pero estoy en sus manos. Ellos conocen todos mis movimientos. Si uno se va, cualquiera que sea, se convierte en un peligro. ¿Quién me protegería entonces?

Quizá ésta fue la magra herencia que recibió, en 1982, el gris mandatario Miguel de la Madrid quien, presionado como alegó su secretario privado, intentó revertir la tendencia, favoreciendo al mando militar y dejándolo hacer... coincidentemente con el *boom* del narcotráfico y la pérdida de la solvencia política, aun cuando el entonces operador principal, Manuel Bartlett Díaz, en funciones de secretario de Gobernación, argüía:

—México requiere de un presidente fuerte, aglutinador; de un símbolo que evite desmembramientos y vanas disputas.

¿Democracia? Más bien la preeminencia del caudillaje, nunca extinto ni siquiera "cuando la revolución degeneró en gobierno", trasladado a la residencia presidencial. Bien decía el hidalguense Manuel Sánchez Vite, quien transitó por la presidencia priísta y la gubernatura de su entidad, justificándose:

—El único cacique de México está en Los Pinos. Búsquenlo ahí.

De la Madrid, entonces, favoreció al mando militar que lo indujo a actuar en consecuencia. Ello revela, sobre todo por el acento puesto en aquella controversia jamás aireada, los niveles de irritabilidad prevalecientes en la cúpula del Ejército por el hastío explicable como consecuencia de un trato injusto, inequitativo, incluso humillante.

En ese punto surgió la figura del general Juan Arévalo Gardoqui, secretario de la Defensa Nacional a lo largo de todo el sexenio delamadridiano, y considerado figura clave entre los enlaces del narcotráfico y la estructura gubernamental. Así lo asientan los informadores de la DEA estadounidense, no así las autoridades judiciales mexicanas conminadas sólo a seguir las engañosas consignas de "la superioridad".

—No se engañe de la mente —me dijo en su momento Arévalo Gardoqui—. El Ejército está libre de sospecha.

Quien no lo está es el propio general, recluido al término del mandato del señor De la Madrid en el Campo Militar Número Uno —"sólo por protección", reconoció una fuente que confirmó la especie— y enriquecido inexplicablemente mientras se proclamaba adalid del combate contra el narcotráfico porque hizo de cada aseguramiento y quema de drogas un evento social con la recurrente presencia del titular del Ejecutivo, el gabinete en pleno, representantes de los otros poderes de la Unión y un cúmulo de invitados listos a divulgar la "buena nueva" de la "renovación moral".

Cuando fue acusado, desde Estados Unidos, por sus vínculos sospechosos, lanzó un desafío, indignado:

—¡No dejaré que nadie mancille mi honra! Procederé contra los difamadores, en donde sea. Lo haré en el momento oportuno.

El "momento" no llegó jamás. Ahora, con frecuencia, desayuna en un restaurante del sur de la capital de México, Los Almendros, en donde fui testigo de un incidente con el general como protagonista:

—¿Podría cambiarme de mesa? —preguntó un comensal a la edecán del lugar al descubrir cerca al mílite con un acompañante—. ¡No quiero estar al lado de un asesino!

Por supuesto, Arévalo escuchó la injuria. Y segundos después de que el ofensor fue llevado a un salón contiguo, el general, rebosante de estrellas y de albos pañuelos en los que enjuga las lágrimas cuando le emocionan las "palabras mayores", siempre tuteladoras, optó por retirarse dejando sobre el mantel los casi intactos "huevos motuleños" que había ordenado. No miró siquiera hacia los lados; perdida la mirada, apresuró el paso y bajó la cabeza.

Semanas más tarde reaparecería en el primer plano de la vida militar, en ocasión de la defenestración y posterior confinamiento del también general Jesús Gutiérrez Rebollo —febrero de 1997—, responsable del combate contra las drogas y los "cárteles" durante el lapso inicial del régimen del doctor Ernesto Zedillo, acusado, precisamente, de estar infiltrado por los "capos" mexicanos. Culpas y denuncias cruzadas, otra vez.

—A Gutiérrez Rebollo no lo agarraron por "narco", Rafael —me confió Isabel Arvide, bien conectada con las fuentes militares y defensora acérrima, siempre vigorosa, de las mismas—. Nada más te lo digo. Es otra cosa.

Indagué. Y entonces apareció el hilo de una incipiente conspiración: "alguien", muy arriba, había alertado sobre un intento golpista. ¿Sólo hacia la jerarquía militar? Lo cierto es que, meses atrás, el rumor de una presunta dimisión del doctor Zedillo supuestamente para ceder el control del país a los militares, presionado por éstos, elevó los decibeles de los juegos bursátiles e indispuso al "primer mandatario" contra su antecesor, Carlos Salinas, a quien se culpó por haber "filtrado" la especie. Lo extraño de la cuestión estribó en que la aclaración oficial, por parte de los voceros del Ejército, se produjo varias horas después del sacudimiento... como si se hubiera dejado transcurrir la mañana, deliberadamente, acaso para negociar una salida con el mal llamado "jefe de las instituciones nacionales".

—¿Gutiérrez Rebollo promovió alguna conjura? —pregunté a dos oficiales que exigieron la condición del anonimato.

—Quizá no llegó hasta ahí. Podría ser otra cosa: una disputa por los territorios.

—¿Tráfico de estupefacientes?

Los oficiales sólo asintieron con la cabeza. La reacción, eso sí, fue extrema, inusual en tales escenarios. Y la reunión del alto mando militar, al lado de los ex titulares de la Defensa entre los que destacaba Arévalo Gardoqui, confluencia de las más recias denuncias acerca del posible maridaje entre militares y mafiosos, concluyó con una severa advertencia y la intención clara de consolidar la autoridad del jefe militar del sexenio zedillista, el general Enrique Cervantes Aguirre: un hombre leal, aseveran quienes le conocen, que salió del territorio patrio por primera vez, como titular de la Defensa Nacional, invitado a conocer, en Washington, las oficinas del célebre "Pentágono".

Lo anterior nos lleva a establecer un deplorable hilo conductor en las relaciones entre los militares y el gobierno civil: la irritabilidad de los primeros es siempre generosamente compensada por quien ocupa el sitio de "comandante supremo" y requiere, sobre todo en épocas de inestabilidad social severa, de un respaldo sin cortapisas por parte de las Fuerzas Armadas. Y mayores deben ser las concesiones, por tanto, cuando por iniciativa del titular del Ejecutivo los soldados son afrentados.

En el año final del periodo salinista, en plena eclosión de intolerancia política, dos veces, cuando menos, se puso en predicamento la lealtad de las Fuerzas Armadas: luego de la orden de cese al fuego tras el estallido neozapatista en Chiapas y al ser nominado candidato sustituto a la presidencia el doctor Zedillo, mal visto por la jerarquía militar en aquel momento.

El general Riviello Bazán, luego de enterarse de la muerte cerebral de Luis Donaldo Colosio el 23 de marzo de 1994, pidió al presidente Salinas que no señalara a Zedillo como su sucesor:

—No sería bien visto por el Ejército, señor. Tenemos severas dudas sobre él, sobre su formación. Cualquiera menos él.

—¿Y quién de los posibles sí le gusta a mis amigos militares? —preguntó con cierta sorna el mandatario.

—Estaríamos satisfechos si el candidato es el doctor Pedro Aspe Armella.

—Pero él está impedido constitucionalmente: no se separó de su cargo seis meses antes del día de la elección. Y ya sólo faltan cuatro.

—Pero es una situación de emergencia. Cabría cierta flexibilidad, señor.

Esta versión, difundida en mi obra *Manos sucias* desde el primer trimestre de 1996, no fue rechazada por los protagonistas. Tiene fe pública. Si acaso, el general Riviello se inconformó en privado por lo que él consideró una indiscreción:

—¿Qué le he hecho yo a Loret? —preguntó a dos colegas luego de leer la reseña de su encuentro con Salinas, pero no la desmintió.

Para los altos oficiales, Zedillo no compartía la versión oficial sobre los sucesos de Tlaltelolco, acaso por influencia de su esposa, Nilda, activista del movimiento estudiantil. Y por tal causa habría promovido la tesis inculpatoria de los militares en la edición de los controvertidos libros de texto gratuitos, mismos que fueron retirados de la circulación, durante su paso por la Secretaría de Educación Pública, precisamente en 1993, a veinticinco años de distancia de los dolorosos acontecimientos. El debate, pese al disgusto de algunos generales, se diluyó cuando surgió un conflicto mayor: el levantamiento de "Marcos" y miles de indígenas chiapanecos en el amanecer del Año Nuevo de 1994.

El general Miguel Ángel Godínez Bravo, quien se desempeñaba como comandante de la VII Región Militar, con juridiscción en Chiapas por supuesto, a la hora de la declaración de guerra de los neozapatistas, recuerda los hechos con precisión:

—Ahora me tienen aquí, en la Cámara, como diputado federal. Y no me gusta, la verdad.

—¿Aceptó por cuestiones de disciplina, general?

—Porque creo, y seguiré creyendo, en las instituciones.

Godínez insiste en dos antecedentes, por él considerados torales, de la sublevación:

1. El presidente Carlos Salinas tenía sobrado conocimiento sobre las actividades de los guerrilleros y nada hizo para contrarrestarlos, aun cuando fue conminado a ello por el mando militar.

2. El obispo Samuel Ruiz García, titular de la Diócesis de San Cristóbal, en donde se dio la primera acción de los alzados, contaba con amplio respaldo de la superioridad política al punto de ser secundado, en todo, aun cuando se afrentara al Ejército.

De ello se derivó, claro, el profundo malestar de los oficiales, maniatados por instrucciones superiores, llegándose a un punto, tras la transmisión del poder Ejecutivo en diciembre de 1994 —antes no porque imperó el respeto de los mílites, me dicen, a los tiempos políticos y a la legalidad—, de inminente fractura.

Godínez explica:

—Salinas tenía información bastante sobre la inminencia del estallido. Todos sabíamos esto, incluso el entonces gobernador interino Elmar Setzer —ya desaparecido— quien lo expresó abiertamente cuando entregó el cargo; como respuesta se le hizo el vacío, por supuesto.

—Entonces, ¿no fueron sorprendidos, general?

—Bueno, desconocíamos cuándo iban a atacar.

—No obstante nadie les cerró el paso a los sublevados en ruta a San Cristóbal.

—Al enterarnos ya habían ocupado la plaza. Así comenzó todo.

—Por cierto, general, ¿en dónde estaba el obispo Ruiz cuando los neozapatistas "tomaron" la ciudad?

—En la catedral. Ni siquiera se movió de ahí.

La otra cara de la historia es más sinuosa:

—El domingo 28 de marzo de 1993 —cuenta el general Godínez—, nueve meses antes del levantamiento, el obispo Samuel Ruiz desayunó en la sede de la zona militar. Dialogamos amigablemente. Y a él llegaron los familiares del capitán segundo de la Fuerza Aérea, Marco Antonio Romero Villalba, y del teniente de Infantería, Porfirio Millán Pimentel, elementos que estaban desaparecidos desde el 20 del mismo mes. Le pidieron que intercediera con los religiosos y feligreses para poder encontrar a los oficiales. El obispo se conmovió.

—¿Cuál es la relación de estos hechos con el estallido del 1° de enero de 1994, general?

—Fue la primera evidencia clara de un ataque de los guerrilleros. Ese mismo domingo encontramos, en una ladera situada a un kilómetro de la comunidad de San Isidro Ocotal, los cadáveres enterrados en un hoyo circular cubierto con ramas y rastrojos. Los cuerpos estaban calcinados. Denunciamos los hechos y dimos con los culpables.

—Actuaron muy rápido, general.

—No tuvimos problemas: los responsables, con cinismo inaudito, confesaron cómo habían quemado a nuestros oficiales. Yo escuché a uno, Erasmo González, narrar con increíble sangre fría la forma en la que habían acabado con ellos y acomodado los cadáveres en la pira. A este sujeto y a una decena más de falsos campesinos involucrados en los crímenes se les tomó declaración ministerial y se les aseguró en prisión.

—¿Cómo reaccionó el obispo?

—Se indignó, intercedió por los detenidos y alegó que se les había torturado para sacarles las confesiones. La misma postura adoptaron dos supuestos defensores de los derechos humanos, Pablo Romo Sedano y Gonzalo Duarte Verduzco, pertenecientes al Centro Fray Bartolomé de las Casas.

—¿Y qué pasó con los detenidos?

—¡Los soltaron por órdenes de la superioridad! Y se fueron tan campantes con la bendición de don Samuel. Eran zapatistas, no había duda. Luego tuvieron una segunda oportunidad para disparar contra nosotros...

—Hasta que Salinas ordenó el cese al fuego.

—Usted lo ha dicho.

Lo expresado por el general Godínez se confirma a través de un intercambio epistolar entre éste y el obispo Ruiz García. Don Samuel reconoce lo expresado por el entonces comandante de la región militar y trata de justificarse aduciendo, con vehemencia, los derechos de los acusados:

—Quedó claro para nosotros —asienta el obispo en carta fechada el primero de abril de 1993, en San Cristóbal, y dirigida al general Godínez— que en el caso que nos ocupa no se había girado ninguna orden de aprehensión; sino que —los presuntos responsables— se habían presentado voluntariamente ante citatorio (inexistente) para dar unas declaraciones... Que antes habían sido "detenidos", retenidos y golpeados por algunos miembros del Ejército, lo que habiendo sido registrado en las actas ministeriales, también lo contaron a nosotros.

Molesto, Godínez Bravo enfatiza:

—Lo que le molestó fue la condición de "confesos" que les endilgamos a los detenidos aun cuando no se había llevado a cabo la diligencia judicial. Lo que pasa es que éstos aceptaron sus culpas, cantaron pues. Y de este error se agarraron para dejarlos en libertad con las dos bendiciones: la del obispo... y la del gobierno.

Las tensiones tienen, pues, origen preciso. Las simulaciones extremas también. El malestar predominante puede tocarse con la mano. Y no sorprende, en tales condiciones, que la irritación salte a las calles y se exhiba en uniformes militares... como sucedió cuando el oficial, médico para más señas, Hildegardo Bacilio Gómez, protestó como un ciudadano más por las avenidas de la ciudad de México. Las represalias fueron tan serias como el miedo a una ruptura, posibilidad incubada desde hace tiempo.

Godínez resume:

—Sí, nos ataron las manos.

No ahora, desde luego. El general Miguel Ángel Godínez Bravo, diputado priísta, ya sabe alzar el brazo y airear el índice desde una cómoda curul para expresar su apego a las iniciativas presidenciales:

—Godínez, ¡a favor!

¿El fin de la historia?

6. Nuevos mesías

—Los homosexuales aparecen en la vida política de México por generaciones, casi por generación espontánea. Surgen como si se tratara de una marejada, luego pasan.

Porfirio Muñoz Ledo, acaso el político mexicano de más dilatada carrera, polifacético y dinámico, incansable, no es capaz de permanecer sentado por más de diez minutos. Tiene necesidad de sentirse el centro de atracción, la fuente incontrovertible de sabiduría. Acariciando los 66 años —los cumplió el 23 de julio de 1999—, decidió competir, preso de un nuevo frenesí acaso incontrolable, por la candidatura del Partido de la Revolución Democrática, su escenario desde la fundación del organismo en febrero de 1989, a la "primera magistratura". Todo en él es explosión, catarsis:

—Es un tema interesante el de la homosexualidad. Pero también es necesario observar a los bisexuales.

—¿Usted los conoce?

—A casi todos. Porque van acompañándose. No sé si sean influyentes o no... pero aparecen.

En las paredes del cubículo destinado al líder de la fracción perredista en la Cámara Baja, su sitio hasta que decidió participar, en marzo de 1999, en la justa por la silla grande, cuelgan dos fotografías que recuerdan sendos relámpagos de gloria parlamentaria: una, cuando trató de impugnar, interrumpiéndolo, al presidente Miguel de la Madrid en 1988, el año de la controvertida elección de Carlos Salinas; otra, en el momento de responder el III Informe de Gobierno del doctor Ernesto Zedillo luego de un barrunto crítico por la instalación del Congreso que ganó, al final de cuentas, la oposición.

—¿Y de los de ahora?

—No sé. Hay algunos definidos, otros no tanto.

—Me refiero a las mayores alturas, diputado.

—Pero, ¿quiénes? Se habló mucho de Carlos Salinas. Pero no. ¿Sería bisexual? No sé, francamente. Me da la impresión contraria.

—¿Un amafiamiento para escalar posiciones?

—No será nada sencillo probarlo.

Suena el teléfono. El diputado Muñoz Ledo contesta, reclama:

—Sí, ya lo sé, mi amor. Estoy en una entrevista. Apenas termine voy para allá.

Trata de ubicarse y abreva en lo que le interesa:

—La campaña por la presidencia estará marcada por tres etapas: la primera, la de los adelantados, ya pasó; la segunda se significará por el combate entre los postulante de a de veras; y en la tercera vendrán las definiciones. El ganador seré yo, no hay duda.

—Los demás también cuenta, diputado.

—Doy el perfil y tengo los méritos.

Nueva interrupción. El teléfono otra vez. Muñoz Ledo parece irritado, pero no sube el tono de la voz.

—Mi amor, ya te dije que voy apenas termine. No me retrasaré más.

Cuelga y pregunta:

—¿De casualidad usted no va hacia el norte de la ciudad?

—No, diputado. Vivo en el sur.

—Mmm... lástima. Podríamos seguir hablando en el camino.

—Le espera su esposa, según entiendo.

—Pues sí. Estoy muy contento, pleno.

—También rejuvenecido, diputado.

—Eso dicen.

La inteligente dama, Mariana Saiz, radiante en su tercera década de existencia y segunda mujer del veterano político, ya aumentó la progenie de éste. Para algunos ésta es la clave.

—Mira, se trata de un amor senil, intenso y renovador —comenta uno de sus más cercanos colaboradores—. No dudes que Porfirio esté encandilado para mantener el interés de su cónyuge.

—Suena cursi, ¿no? La presidencia convertida en un trofeo por la supervivencia del amor.

Días después, en uno de los pequeños restaurantes de la colonia Condesa en la ciudad de México, Porfirio Muñoz Ledo está inquieto, angustiado. No deja de hacer aspavientos ni de pedir algo, cualquier cosa, constantemente, a los meseros.

—Es que cité aquí a mi mujer y no llega. ¿Puedo tomarme una copa contigo? —le pregunta a un antiguo amigo suyo—. ¡Ya pasaron cuarenta minutos!

—Sí, hombre. Tranquilízate. Ya habías perdido el ritmo de hombre casado.

Transcurre una hora más. El diputado no cesa de marcar el aparato celular.

—¿Por qué lo tendrá apagado? ¡Caramba!

Al fin, el diputado percibe la presencia entrañable. Se levanta presuroso y casi ordena:

—Ocúpate tú de la cuenta.

—Perdóname, Porfirio, pero no. Cada quien cubre lo suyo, como en los viejos tiempos.

—Pero... es que no traigo dinero. Nunca cargo la cartera.

—Pues, lo siento. Es tu problema. No te invité yo.

—Bueno, pues déjame solucionarlo.

Muñoz Ledo conduce a su esposa, otra vez, hacia la puerta. La lleva hasta el vehículo y regresa al interior del restaurante.

—¡Carajo! ¿Tenías que avergonzarme ante mi esposa? Siquiera disimula. Nos está viendo.

—¿Vas a pagar lo tuyo? Entonces, no tengo problemas. Tampoco yo venía preparado.

—Por favor, que nos vea platicar sin sobresaltos. Que no piense que nos peleamos. ¿Estamos?

—Adiós, Porfirio. Y suerte.

La sed de protagonismo exhibe a los políticos; es una condición consustancial al imperativo de trascender para ser reconocido. Algunos tienen talento de sobra para ubicarse, de manera natural, en el ánimo de los presuntos electores; otros, menos afortunados y poco cultos, requieren de un esfuerzo tremendo para mantenerse en el escenario. Por ejemplo, durante el periodo presidencial de Luis Echeverría —1970-1976—, se decía del mandatario:

—Todos los días sale a ganar la cabeza de ocho columnas... y no se duerme hasta lograrlo.

Y en el lapso de veinticuatro horas, el hiperactivo don Luis tomaba al país como rehén y no lo soltaba hasta que la noticia fluía y él la protagonizaba; así entendía, bajo el rigor de la letra impresa, el ejercicio y la relevancia del poder. En cierto modo, Muñoz Ledo es fiel a la doctrina de quien lo elevó a la titularidad de la Secretaría del Trabajo durante la etapa priísta del hoy recio opositor:

—Mira, lee lo que dicen de mí en la prensa de Estados Unidos —expresó eufórico apenas unas semanas después de su llegada a la Cámara Alta, en diciembre de 1988—. Me califican, simplemente, como "el senador", como si yo fuera todo el Senado.

Y sonreía feliz, con plena satisfacción, sabedor que concentraba el interés general. Además, a la hora de los debates no tenía sombra. Lo dicho, cuando se trata de figurar no hay contemplación posible. Más bien cada quien es fiel a la doctrina central de los ambiciosos: "espacio que no llenas, te lo ocupan".

Gandhi decía: "Todo movimiento social necesita de un periódico".

El apóstol de la "resistencia pacífica", cuyo símil lejano puede encontrarse en la única "guerrilla pacifista" allá en las entrañas de la intrincada selva chiapaneca, insistía en que los dirigentes políticos, en todo momento y lugar, requieren de un vocero que les haga eco y les conceda presencia y vigencia. De esta premisa surgió su preocupación por tener cerca, siempre, a los corresponsales más versátiles dispuestos a contar la historia que les vendía, apasionado.

En México, como sabemos, los cauces de la información estuvieron cerrados, durante un largo trecho, para cuantos intentaron crear contrapesos al ejercicio omnímodo del poder. Todavía en 1988, cuando Carlos Salinas recorría al país tratando de cooptar voluntades sin límites presupuestales, atestigüé, en Mérida, la vigorosa cruzada de Manuel Clouthier del Rincón por la vindicación de los derechos informativos de los opositores; le vi, sí, con una mordaza sellando los labios, recorriendo las calles de la capital yucateca luego de que le habían negado la entrada a una radiodifusora local, Radio Yucatán, cuya programación, casi íntegra, estaba concentrada en el paso del aspirante priísta a la presidencia.

"La historia de la democracia en México —concluyó a la muerte del "Maquío" el editorial del *Diario de Yucatán* con inocultable acento partidista— tendrá, a partir de ahora, un AC y un DC: antes de Clouthier y después de Clouthier."

Un periódico, en fin, bastó para que el PAN echara raíces en la península. Una tribuna, un vocero. Sin este respaldo... cualquier batalla reivindicativa puede perderse. Bien lo sabe quien heredó, seis años más tarde —1993,1994—, la bandera del panismo, Diego Fernández de Cevallos, ganador indiscutible, de cara a la opinión pública, del primer debate entre aspirantes a la "primera magistratura" realizado en México; a la zaga, Cuauhtémoc Cárdenas y Ernesto Zedillo.

—¿Por qué —le pregunté por teléfono a Fernández de Cevallos—, cuando iba delante en las encuestas sobre las preferencias de la ciudadanía, bajó el ritmo de su campaña? Muchos de los más de 9 millones de mexicanos que votaron por usted no se lo perdonan todavía.

El "Jefe" Diego, barbón, vehemente, preciso, meditó unos instantes antes de encontrar una salida, acentuando el tuteo:

—Te lo voy a contestar porque eres la primera persona que me hace un cuestionamiento concreto sobre el tema. ¿Podríamos encontrarnos para comer hoy mismo?

Acepté, desde luego. El restaurante Casa Bell, en la Zona Rosa de la ciudad de México, fue el sitio escogido. Fernández de Cevallos llegó puntual, disfrutando de los saludos y escudriñando a quienes no volteaban al verlo pasar.

—Aquí estoy. ¿Vamos al grano? —saludó apenas pudo sentarse a la mesa.

—Sí, Diego. ¿Qué te obligó a bajar el ritmo de la campaña presidencial? Quedó la impresión de que habías suspendido las giras. Lo apunto porque, allá en Hidalgo, varios de tus cercanos compañeros de partido me dijeron que habías sido seriamente amenazado. ¿Lo fuiste?

—Ninguna amenaza podría detener, como estaban dándose las cosas, a un candidato a la presidencia. Menos después del debate. Estaba muy a la vista.

—Pero ya habían asesinado a Colosio...

—Precisamente. Hubiese sido demasiado obvio proceder conmigo de la misma manera.

—Entonces, ¿qué pasó?

—Mira: tengo videos que demuestran que no bajé la guardia. Los actos de campaña se incrementaron y fueron los más concurridos. Por donde iba sentía una generosa respuesta. Pero... no dejé de tener disgustos.

—¿En qué sentido, Diego?

—Simple: tergiversaron todos los informes de mi campaña a partir del debate y manejaron mi imagen en la televisión como les dio la gana. Recuerdo que cuando logré una concentración masiva de universitarios, apenas me citaron sin enfocar jamás a la multitud. Y las propuestas se perdieron.

—Entonces, ¿no se suspendieron las giras ni los actos masivos?

—¡Qué va! Lo que ocurrió fue, sencillamente, que dejaron de publicitarme en los medios. Y, por supuesto, nadie se enteró de lo que hacía.

—¿Sólo fue falta de cobertura?

—Te repito: tengo manera de probar que continué mi labor proselitista a todo tren. Luego se arrepentirían quienes me habían bloqueado.

Fernández de Cevallos hace una pausa. Enciende un puro con parsimonia. Observa a los contertulios de otras mesas —entre ellos, un solícito Luis Téllez Kuenzler, secretario de Energía—. Y cuenta:

—Después de las elecciones, el ahora extinto Emilio Azcárraga, "el Tigre", me mandó a un emisario; el infeliz me transmitió la invitación de su jefe, el dueño de Televisa, para que concurriera a comer con él.

—¿Aceptaste, desde luego?

—Pues no. Nada más lo mandé a la chingada.

—Pero no acabó la historia ahí, ¿verdad?

—De ninguna manera. Azcárraga insistió y, por fin, nos vimos en una propiedad suya en Polanco, de esas que le servían para atender a sus invitados especiales. "Casa Vieja" creo que se llama.

—¿Fue un encuentro cordial?

—Le dije, de entrada: "Mira, Emilio, yo sólo acepté venir porque tenía muchas ganas de verte en persona, tenerte cerca para decirte, así sin más, que vayas a chingar a tu madre".

—Un saludo poco usual, Diego.

—Lo merecía el cabrón. ¿Sabes cómo respondió? Me dijo que quería hacer un programa especial para que pudiera dirigirme a mis electores, a cuantos habían confiando en mí. Y volví a arremeter: "Ahora sí quieres darme televisión, ¿verdad?, cuando ya está todo consumado". Le recordé entonces que los noticiarios de su empresa, todos ellos, manipularon los hechos y hasta me borraron del escenario. Me pidió perdón. ¡Para lo que me servía!

—Pero el programa se hizo.

—Y yo fijé las condiciones. Supuse que era un paso más y lo fue. Pero qué conste: ni bajé el ritmo ni suspendí la campaña; únicamente me vetaron en los medios, en casi todos.

Semanas después de aquella experiencia televisiva, Diego Fernández de Cevallos se encontró con el entonces presidente Carlos Salinas de Gortari, inmerso en la fase terminal al frente de la mayor responsabilidad ejecutiva del país:

—¿Cómo está, Diego? Me alegra verlo. Usted siempre será un rival formidable.

—Le agradezco el cumplido.

—Fíjese, Diego, que el otro día estaba meditando sobre las cifras electorales: casi obtuvo usted la misma cantidad de votos que los que me permitieron asumir la presidencia: 9 millones y medio.

—Bueno, licenciado, pero hay una importante diferencia.

—¿Cuál, Diego?

—Mis votos fueron limpios... no como los suyos.

Extraña convivencia. Bien se sabía entonces que los dirigentes de Acción Nacional más connotados, el propio Fernández de Cevallos y Carlos Castillo Peraza, cuyas luces le alumbraron la ruta hacia el liderazgo nacional del partido, gozaron de un trato preferencial por parte del controvertido Salinas mientras éste ocupó la residencia oficial de Los Pinos. Tal cercanía fue acaso lo que motivó el malestar de Clouthier al punto de buscar, en las semanas finales de su azarosa existencia, un aterrizaje en el PRD:

—Don Manuel está muy a disgusto con la actitud de los jerarcas del PAN —me explicó, en su momento, Cuauhtémoc Cárdenas, guía moral del incipiente perredismo—. De un momento a otro va a consumarse su incorporación a nuestro partido.

—Será un golpe tremendo para Salinas —deslicé—, nada menos la descalificación final. Con o sin la anuencia de los panistas.

—Por eso están tan inquietos.

Nadie suponía entonces que un tráiler saldría al paso del vehículo en el que transitaba "Maquío" luego de asistir a un mitin en pro de las aspiraciones de un bravo sinaloense, Adalberto "el Pelón" Rosas. ¡Ah!, un helicóptero sobrevolaba la zona antes y al momento del encontronazo final.

El drama de Clouthier fue el punto final en la crónica comicial de 1988 a la par con el incendio jamás esclarecido del Palacio de San Lázaro, sede de la Cámara de Diputados, en donde se quemó la paquetería electoral que la mayoría priísta, apoyada por buena parte de los legisladores de Acción Nacional, se había negado sistemáticamente a revisar. El "Jefe" Diego, apodado así por su supuesta ascendencia respecto al doctor Salinas, días antes del siniestro exigió incluso que la controvertida documentación fuera incinerada. Alguna mano negra, solícita, cumplió el deseo. Es saludable refrescar la memoria.

Uno a uno, eso sí, quienes han sido aspirantes de la oposición a la "primera magistratura" han padecido los embates del desprestigio. Contra Clouthier se adujo un pasado patronal de represalias sin cuento, nunca confirmadas, contra sus empleados; y Fernández de Cevallos ha sido objeto de una secuela de descalificaciones, por lo general poco fundadas:

—Me han llegado noticias, Rafael —me reprochó Diego Fernández, todavía sin la confianza del tuteo, al salir de una emisión de *Monitor*, el noticiario radiofónico de mayor peso en la capital del país, en la que se volcó en adjetivos contra el doctor Ernesto Zedillo en marzo de 1997—, de que usted ha estado hablando mal de mí, creo que en el norte del país.

—Quizá se refiera usted a algunas pláticas en las que he asentado la extraña transacción con un rancho que fue propiedad de Mario Moreno "Cantinflas"...

—¿Ya ve que tengo buena información? Bueno, ¿y por qué me condena sin haber hablado conmigo?

—No lo hago. Simplemente sostengo lo expresado por el sobrino de "Cantinflas", Eduardo Moreno Laparade, en el sentido de que, por concepto de honorarios, usted se quedó con parte de La Purísima.

—Cuando quiera le demostraré que nada turbio se dio en aquella operación. Pero se trata de lincharme políticamente.

—No es esa mi intención, se lo aseguro.

—Sí la del gobierno... aunque estemos soportando un agudo vacío de poder. Quizá por ello mismo.

Escarnio de por medio o no, a Fernández se le ha descalificado tenaz, agrestemente. Lo mismo cuando se escandalizó respecto a los prediales no pagados por su terreno en Punta Diamante, la zona más exclusiva del nuevo Acapulco, que al ser relacionado como abogado de Jorge Lankenau Rocha, el financiero preso por supuestos fraudes contra la Casa de Bolsa Ábaco y Banca Confía. (Por cierto, Lankenau es el único de los grandes banqueros del salinato recluido; los demás han sorteado la acción de la justicia.)

—Nadie me ha retirado el saludo por ello —sentenció Diego—. Al contrario: todos me brindan su respaldo.

Y es que no hay prestigio social mayor al de ser perseguido, aun cuando exista razón para ello por la tipificación de delitos calificados, por el cuadro gobernante. Ángel Isidoro Rodríguez, "el Divino", también señalado como presunto autor de fraudes en detrimento de la Aseguradora Asemex y de Banpaís, socarronamente, me narró una de sus experiencias con la "gente común":

—¡Hasta las secretarias de los juzgados me piden mi autógrafo!

—Ya es usted una celebridad —comenté con ironía.

—Lo mejor fue cuando un taxista me alcanzó y, a gritos, exigió que bajara el cristal de mi automóvil. Creí que quería insultarme y evité hacerlo. Pero el hombre aquel me siguió hasta que accedí. Entonces, de coche a coche, me soltó: "¿Usted es "el Divino", verdad? Pues quiero decirle que estoy con usted. ¡Deles en su madre a esos del gobierno!"

—Sólo falta que se convierta usted en líder popular.

—Es fantástico, ¿no?

Y, en cambio, cuando se percibe, en serio, la convivencia de alguna figura de la disidencia con el régimen vigente, la sanción política puede ser descarnada. Con Carlos Castillo Peraza, por ejemplo, se ensañó la ciudadanía, la mayor parte de ésta se entiende, cuando fue identificado con algunas decisiones fundamentales del régimen salinista, sobre todo en materia económica, debido a la autoexaltación de las mismas que formuló el ahora "retirado" personaje, quien dejó al PAN para seguir, dijo, los pasos y lauros del extinto Octavio Paz.

—Nunca pudo enderezarse su pretensión de buscar la jefatura del Distrito Federal, ¿verdad? —le pregunto a Xavier Abreu Sierra, en papel de alcalde de Mérida, ex coordinador de aquella campaña que arrancó con los mejores momios y acabó arrastrada hasta el tercer sitio de las preferencias públicas.

—Hubo de todo un poco. Lo peor, sin duda, fue la postura de los medios.

—También la etiqueta de salinista que se le endilgó.

—Por supuesto. No remontamos. Además porque la prensa interpretó cada frase de Carlos con mucha "mala leche".

La figura de Castillo Peraza, venerado por algunos y repudiado por otros incluso al interior del PAN, es el mejor retrato que puede hacerse de una zigzagueante disidencia, enferma de oportunismo y acaso temerosa de vencer y afrontar, por ende, la responsabilidad de la conducción nacional. Una imagen diametralmente distinta, por ejemplo, a la del guanajuatense —si bien nació en Jalisco—, Vicente Fox Quezada.

—¿Cuántos de ustedes —pregunté en un foro de la Universidad de Celaya ante un público claramente plural— consideran que su gobernador, el señor Fox, ha cumplido un papel destacado?

Ocho de cada diez asistentes alzaron la mano. Un periodista local se inconformó:

—Eso no quiere decir que todos le apoyemos.

—¿Cuántos simpatizan con él? —busqué aclarar entonces.

La reacción fue similar. En ninguna otra entidad de la extensa geografía patria he notado un fenómeno semejante. Más bien ocurre lo contrario: las simpatías hacia los gobernadores en ejercicio suelen estar por los suelos. A Fox quienes han sido sus gobernados le aprueban. Sin que parezca una odiosa comparación, un fenómeno parecido se dio en Michoacán cuando dejó la gubernatura el ingeniero Cuauhtémoc Cárdenas.

—Pregúnteles a los michoacanos cómo les fue con Cuauhtémoc —conminó el priísta Óscar Levín Coppel, uno de los más ácidos cuestionadores del hijo del Tata en las tribunas de la Asamblea Legislativa del Distrito Federal a lo largo del mandato de éste en la ciudad de México.

—Si nos atenemos a la convocatoria que mantiene por su tierra, no debe haberlo hecho muy mal.

—No son todos, ¡qué va!

—Tampoco unos cuantos.

Lo cierto es que el cuestionado ex mandatario de Michoacán contó con legiones de quienes fueron por él gobernados en la hora de su difícil tránsito hacia la oposición. Todavía hoy aquellas nutrientes de pueblo revitalizan sus actos públicos, en el Distrito Federal y fuera de éste.

Los guanajuatenses no salen tanto pero avalan, en buena medida, la acción gubernamental de Fox, “el hombre de las botas”.

—El gobernador no ha descuidado sus responsabilidades en Guanajuato por su premura en lanzarse como precandidato presidencial.

Marta Sahagún, coordinadora de prensa del gobierno guanajuatense bajo la férula de Fox, casada y avecindada en Celaya, se enorgullece de su trabajo más allá de los deberes inherentes al cargo:

—No para. Es notable su capacidad de percepción y su sentido analítico.

Fox está separado de su mujer, Lilián de la Concha. Y evita mencionarla. No obstante, las historias corren:

—¿Por qué no se divorcia, como lo han hecho otros postulantes? —le pregunto a la señora Sahagún, quien se muestra un tanto sorprendida.

—¿La verdad? Es muy religioso y, aunque su ex mujer se lo ha solicitado, no quiere romper el vínculo matrimonial por respeto a los cánones católicos.

La resistencia del discutido político ha sido excepcional. Sobre todo porque, de vez en cuando, la señora De la Concha aparece y lo mortifica:

—Se le ha visto paseando en motocicleta —me cuentan— con su galán actual. Pero Fox ni se inmuta; al contrario, se mantiene en sus trece.

Otras voces aseguran que, detrás de bambalinas, Fox sostiene un romance, precisamente, con su coordinadora de prensa. La propia señora Sahagún, delante de su marido, me aclaró:

—Yo viajo con el gobernador como parte de mis funciones. No lo escondo. Lo demás son puros chismes sin sustento.

—Como que quieren buscarle tres pies al gato.

—Exactamente. ¡Y es sólo el principio!

Y todo esto porque, roto el tabú de la intimidad intocable, los deslindes políticos ya no podrán darse sin un conocimiento cabal acerca de cómo son, en privado, cuantos aspiran a convocar a los mexicanos en su favor. No vaya a ser que nos salga por ahí, otra vez, algún enfermo jovencito matón jamás atendido por un psicólogo. En la familia Salinas de Gortari pueden dar más informes al respecto.

—A mí me inventaron de todo, Rafael —narra Cecilia Soto González, candidata a la presidencia de la República en 1994 por el Partido del Trabajo—. Si no eres necesariamente fea te ligan sentimentalmente a los hombres poderosos.

En la señora Soto se unen belleza y talento. Tiene carisma, por tanto, y seduce con el verbo. Su campaña nacional fue acaso la de mayor despegue si consideramos la pobre convocatoria del PT antes de su postulación y la situación del mismo, como cabeza de los partidos con convocatoria menor —"la chiquillada", como la llamó Fernández de Cevallos—, al fin de la contienda. Los dirigentes de otros organismos políticos, entre ellos Carlos Cantú Rosas, entonces presidente del Partido Auténtico de la Revolución Mexicana (PARM), del que había surgido la propia señora Soto, acusaron:

—Raúl Salinas de Gortari es el mecenas principal del PT. De ahí el derroche de que hace gala esta vertiente de los organismos "de acompañamiento". Se trata de pulverizar, aún más, los sufragios y la presencia de la oposición.

Fue notoria, eso sí, la onerosa inversión del incipiente instituto. Mantas, pasacalles y pintas monumentales inundaron las calles de las principales ciudades de la República. Y el rostro lozano, siempre risueño, de la señora Soto González hizo el resto.

—Si se sostiene que Raúl Salinas estuvo detrás del lanzamiento de Cecilia Soto, ¿esto implica otro tipo de relación? —pregunté a Cantú Rosas.

—No sería nada difícil; incluso, me parece obvio.

Lo cierto es que, pese a sus cualidades políticas indiscutibles, la señora Soto optó por alejarse de las candilejas aun cuando, invitada por el periodista José Gutiérrez Vivó, incursionó en los estudios radiofónicos como analista, punzante además, para evitar el desgaste tremendo del ostracismo. Y debemos apuntar un hecho incontrovertible:

—Lo curioso es que, cuando fue aprehendido Raúl Salinas en febrero de 1995 —comento a Cantú Rosas—, nadie se preocupó por hacer el deslinde entre el PT y el indiciado. Ni se habló de la que fue candidata presidencial.

—Una prueba más de que los acuerdos fueron muy elevados, ¿no?

Por cierto, Cantú sobrevivió a una muy dura operación cardiaca, luego de estar a las puertas de la muerte a finales de 1998, y ha salido avante de una feroz auditoría hacendaria, sostenida durante varios años, a la agencia aduanal que mantiene en Nuevo Laredo, Tamaulipas:

—Dos cosas jamás me perdonaron —refiere Cantú—. Haber lanzado a Cuauhtémoc Cárdenas en 1988, cuando nadie se animaba a dar este paso, estableciendo el gran parteaguas de la política nacional; y posteriormente cuando descalifiqué, en la tribuna de la Cámara de Diputados, al régimen del doctor Zedillo. Después sufrí las consecuencias.

El PARM, atrapado durante muchos lustros por su enferma convivencia con el PRI a la vera de un grupúsculo de viejos generales revolucionarios, fue de hecho desmantelado en cuanto asumió, en serio, una postura crítica, severa, ante el poder. Primero, la división artificial; después, de hecho, el destierro de sus líderes. Así se escribió un capítulo más de la pluralidad en el sistema político mexicano.

Para sobrevivir en política se requiere, incluso siendo militante acérrimo de la disidencia, una continua mutación. Por ejemplo, en Chihuahua, Francisco Barrio Terrazas se presentó por primera vez como candidato a la gubernatura, en 1986, con mística entrega al sacrificio. En cada mitin oraba:

—¡Es el ayatola mexicano! —exclamaban con júbilo sus partidarios al constatar el exitoso desarrollo político del intransigente panista.

Después, dicen, "maduró". Seis años más tarde, en 1992, el entonces presidente Carlos Salinas auguró jubiloso, en el marco de una nueva campaña en pos del gobierno de la entidad:

—En Chihuahua habrán de celebrarse unos comicios ejemplares, los más limpios de que tengamos memoria.

Un reconocimiento presidencial *a priori*. La dedicatoria, obvio es decirlo, fue para el tenaz Barrio, cuyo discurso, luego de haber sido medido por el sistema en grado superlativo —durante un mitin le avisaron del mortal "accidente" carreteril sufrido por una de sus hijitas—, ya no fue altanero sino conciliador.

Tras ubicarse en el Palacio de Gobierno del estado gigante, Barrio Terrazas fue calificado:

—Es, nada menos, el más salinista de los gobernadores.

En la víspera del fin de su mandato, al correr de la segunda quincena de julio de 1998 y antes de que se finiquitara el proceso electoral respectivo en busca de su sustituto, conversé con Barrio:

—Todavía le cuelgan, gobernador, su cercanía con Salinas.

—Eso ya está superado. Nadie se acuerda de eso en Chihuahua. Lo que cuentan son las obras, la honradez de mi administración.

Pese a los saldos favorables, anotados por el propio mandatario, su partido, Acción Nacional, fracasó en la lid comicial y el priísta Patricio Martínez, librero en sus años mozos, recuperó el bastión para la causa institucional. Por supuesto, a los jilgueros oficiales se les llenó la boca al hablar de la "alternancia" en el poder sin trasladar sus apuestas a la órbita nacional.

Cuauhtémoc Cárdenas aporta lo suyo. Coherente a lo largo de varios lustros, digamos que su desprendimiento del PRI comenzó cuando, casi al finalizar su ejercicio gubernativo en Michoacán, demandó respeto para la soberanía de su entidad hollada por el Ejército y la Policía Judicial Federal durante la cacería —concluida en su primera etapa en el rancho El Mareño— contra los victimarios del agente de la DEA estadounidense, Enrique "Kike" Camarena Salazar. Luego prosiguió por la ruta crítica hasta fundar, coligándose con Porfirio Muñoz Ledo, la "Corriente Democrática" que terminó por escindirse del partido oficial.

Durante un grato desayuno en casa, algunas semanas antes de su lanzamiento en pos de la jefatura del gobierno del complejo Distrito Federal, el ingeniero Cárdenas fue preciso al analizar al régimen del doctor Ernesto Zedillo:

—Está dando tropezones a cada rato. Y quien se cae una y otra vez, acaba por caerse definitivamente.

En aquel contexto el aserto podría interpretarse como un fatal augurio sobre la presidencia y su entonces titular. Pero llegó la campaña y la euforia por el triunfo inobjetable, augurado tiempo atrás por la ponderación de las encuestas y la distancia por éstas establecida en favor del abanderado perredista. Fue, entonces, cuando el recio ingeniero —"el Trompudo", le llama ahora Muñoz Ledo— se felicitó por el reconocimiento del doctor Zedillo a su victoria y dejó entrever que se inauguraba una ruta hacia el entendimiento civilizado.

No fue todo. En ocasión de su primera visita a Los Pinos, en calidad de jefe electo del gobierno del Distrito Federal —julio de 1997—, la cordial recepción por parte del matrimonio Zedillo-Velasco deslumbró a los testigos, a quienes se pidió "matizar" los términos en que se había desarrollado el encuentro. Sucedió, sencillamente, que la primera dama, Nilda Patricia, sonriente y sin medir consecuencias, saludó al ingeniero Cárdenas acentuando su simpatía:

—¿Sabe usted, ingeniero? ¡Yo voté por usted!

Titubeante, sorprendido, el hijo del Tata, nostálgico de sus días infantiles cuando correteaba por los jardines de la residencia oficial estrenada por su padre, el general Lázaro Cárdenas del Río, sólo acertó a hilvanar, con un dejo de timidez:

—Gracias, señora. Lo tomaré muy en cuenta.

La crónica oficial, desde luego, no recogió este pasaje. Diplomacia de por medio, la nueva administración de la urbe monstruosa, de filiación perredista y con la solvencia moral de un dirigente avalado por casi la mitad de los electores —por dos puntos porcentuales no alcanzó la mayoría absoluta en las urnas—, tendió un velo de misterio sobre el oscuro pasado, más bien tenebroso, de los regímenes predecesores, especialmente, claro, el de Óscar Espinosa Villarreal, el "último regente" y uno de los hombres claves para dirimir la controversia en torno a los fondos inmorales, sucios por sus presuntas ramificaciones con la peor mafia de todos los tiempos, destinados a la campaña ensangrentada de 1994 que condujo al doctor Zedillo hacia la "primera magistratura"

Espinosa, no lo olvidemos, fue secretario de finanzas del PRI y, junto con Carlos Sales Gutiérrez, acomodado en Nacional Financiera, uno de los grandes operadores de la "transición", en el ramo económico, con el respaldo, claro, de los grandes financieros y socios del salinato trágico. De hacerse una autopsia al cadáver del Fondo Bancario de Protección al Ahorro (Fobaproa), numen de los fraudes y las componendas de la nueva casta de inversionistas privilegiados gracias a la complicidad con los cuadros de mando político, se hallaría, intacto y ponzoñoso, un gran tumor con el rostro de Óscar Espinosa.

Jesús González Schmall, quien fuera oficial mayor del gobierno neocardenista de la ciudad de México, salpicado de inquina y cazado con premura, relata sin tapujos:

—Cuando denuncié que habíamos encontrado micrófonos en las oficinas que serían las del ingeniero Cárdenas y que no ocupó por trasladar la sede principal del nuevo gobierno al histórico Palacio del Ayuntamiento dejando el antiguo despacho del "regente" a la secretaria general, Rosario Robles, sobrevino una reacción en cadena.

—Recuerdo que los asambleístas, en especial Manuel Aguilera Gómez, ex regente —1994— y en condición de líder de la fracción priísta entre los legisladores del Distrito Federal, amagaron con denunciarte porque, decían, no contabas con pruebas para inculpar a los anteriores inquilinos. ¿Qué pasó?

—Los descubrimos, eso pasó. Un grupo de priístas, fornidos y violentos, llegó hasta nuestras oficinas supuestamente para exigir que renunciara. Lo que no se dijo fue que aquellos sujetos, a quienes se identificó plenamente, rompieron conexiones y trozaron cables durante la ocupación, a todas luces arbitraria, de las instalaciones gubernamentales. Fueron, y esto es muy obvio, a borrar las huellas del espionaje.

—¿Los acusaste?

—Aguilera intervino, a cambio de no continuar con sus imputaciones directas, y volvió todo a la normalidad.

—Días después presentaste tu dimisión, Jesús.

—Así fue. Me retiré, eso sí, con el afecto y el respeto del ingeniero Cárdenas.

Lo cierto es que, a partir de ese momento, desde la contraloría interna del gobierno defeño se evitó dar continuidad a la demanda general por conocer, a fondo, el resultado de las auditorías a las cuentas del "gran capitán" heredadas. Ni una denuncia, ni una palabra de más. Sí, en cambio, el lapidario, incontestable "borrón y cuenta nueva".

Diciembre de 1998. Y ya que hablamos del célebre Fobaproa, no es fácil olvidar el dramático viraje de los legisladores del PAN quienes, en un principio, condicionaron la posibilidad de destrabar el proceso legislativo, tendiente a convertir los saldos rojos en deuda pública, a la salida inmediata de dos personajes claves: Guillermo Ortiz Martínez, gobernador del Banco de México, y José Ángel Gurría Treviño, secretario de Hacienda. Los dos personajes citados se quedaron en sus cargos y surgió entonces el Instituto de Protección al Ahorro Bancario (IPAB) como un eslabón más de la cadena:

—Es un segundo Fobrapoa —enfatizó Andrés Manuel López Obrador, entonces presidente nacional del PRD—. Y los panistas van a irse con la finta. Ya lo verás.

Las posiciones de perredistas y panistas se bifurcaron, agriándose la relación entre sus líderes. Al interior del PAN, los notables de este partido llegaron a la conclusión de apoyar al IPAB para evitar, explicaron, daños más severos a la economía nacional. En ese cerrado núcleo, Vicente Fox Quezada, gobernador de Guanajuato y precandidato único a la presidencia de la República, llevó la voz cantante:

—Dejemos las cabezas de Ortiz y Gurría en su lugar. Avancemos.

Y es que nadie quiere pelearse con el gran capital. Ni con Estados Unidos. La llave para abrir los candados, o cerrarlos, está en manos de los nuevos mesías.

7. Los socios

—¿Apagamos la grabadora? Es mejor así.

Ismael Gómez Gordillo, abogado y maestro de la nueva casta burocrática tan ligada a la tecnopolítica, niega con la cabeza, inquieto. Una pregunta, una sola, bastó para hacerle perder su proverbial parsimonia, incluso el timbre grave de su voz. En funciones de procurador fiscal de la Federación —desde este cargo fue lanzado hacia la dirección de Aseguradora Hidalgo para relevar a Humberto Roque Villanueva cuando éste optó por el papel de iluso precandidato priísta a la presidencia de la República—, aceptó la entrevista con una periodista acreditada.

—Licenciado, con la muerte del "capo" Amado Carrillo Fuentes, el más buscado según la policía, algunos hilos sueltos podrán unirse. Me refiero, claro, a los capitales sucios.

—Bueno, sí. En eso estamos trabajando.

—¿A través de la Unidad de Inteligencia Financiera?

Gómez Gordillo, sorprendido, se recarga en el amplio sofá de su despacho, en la Torre del Caballito de la ciudad de México. Cierra y abre los ojos, observa a su interlocutora. Y sólo acierta a responder con otra interrogante.

—¿Y usted cómo lo supo? Las actividades de la Unidad no están a la vista de nadie, aunque se trate de un organismo público.

—¿Son secretas?

—En cuanto a la necesidad que tenemos de proteger a quienes la integran, sí.

—¿A partir de cuándo investiga los capitales sucios, el "lavado de dinero" y a los presuntos socios de los narcotraficantes?

El funcionario se revuelve en su asiento, como si quisiera tomar aire. Y asume:

—Lo que pasa es que no podemos poner en juego la vida de ninguno de mis colaboradores. Usted entiende, ¿verdad?

La Unidad fue implementada por el gobierno mexicano a instancias de la comunidad internacional. Desde 1977 las naciones desarrolladas confluyeron hacia el Tratado de Edgmont por el cual se crearon las llamadas Financial Intelligence Unit (FIU), independientes entre sí pero coligadas para el intercambio de información. En México apenas en 1997, veinte años después de la creación de las primeras células, se constituyó el centro respectivo dentro del organigrama de la Procuraduría Fiscal, aun cuando, por razones de seguridad, no se informe de sus actividades.

—No nos gusta divulgar sus operaciones —continúa Gómez Gordillo— por el alto riesgo de las mismas. Hay funcionarios medios, destinados a la investigación, que cuentan con automóviles blindados.

—¿Temen algún atentado?

—Sí, desgraciadamente. Las amenazas son cosas de todos los días. Incluso las tentativas de secuestro han sido frecuentes. Pero, ¿usted cómo supo de la Unidad?

—Algo me dijo Bill Marlin cuando lo entrevisté en México.

El señor Marlin es vicepresidente de Kroll O'gara, una empresa privada dedicada a dar seguimiento a las operaciones financieras ilícitas. Una especie de agencia de detectives especializada en descubrir las inversiones y movimientos que se realizan con el llamado "dinero sucio" proveniente de las mafias. Dos meses después de la explosiva "Operación Casablanca" —cuando fueron aprehendidos una decena de funcionarios bancarios mexicanos, con mando intermedio, por el gobierno de Estados Unidos, en flagrante violación a la soberanía nacional—, el señor Marlin ofreció sus servicios a los bancos implicados, entre ellos Bancomer, Banca Serfín y Banca Confía.

—La Unidad, como usted sabe —prosigue Gómez Gordillo—, intercambia información con las demás unidades para tratar de frenar el mal uso de las instituciones financieras y, por ende, la penetración de los "cárteles" en la estructura.

—No les faltará tarea en nuestro país, don Ismael. Menos ahora.

Gómez Gordillo, muy serio, se acerca a la mesa de centro y revisa la pequeña grabadora.

—¿Está apagada, verdad? Mire: voy a contarle algo muy, pero muy delicado. No diga que yo se lo dije.

—Suena terrible, licenciado.

—Lo es. Cuando la Procuraduría General de la República confirmó el deceso de Carrillo Fuentes, nos dirigimos al general Jesús Gutiérrez Rebollo, al frente en ese momento del Instituto Nacional para el Combate a las Drogas, y le entregamos un amplio expediente que contenía los números de cuentas y la relación de algunas de las propiedades del "capo".

—¿Sólo eso? ¿No había información sobre sus cómplices?

—A eso voy. El propio general se interesó en los nombres de los presuntos socios de Carrillo. Le dijimos que estábamos por determinarlos. Gutiérrez Rebollo ni parpadeó.

—¿Le entregaron la segunda relación ya con los personajes cercanos incluidos?

—Sucedió que, en plena investigación, nos "saltó" el vínculo del general Gutiérrez Rebollo con Carrillo, "el Señor de los Cielos". Fue un momento de gran tensión porque, en esos días, el militar era reconocido como uno de los principales e incorruptibles combatientes contra la mafia. Así lo había expresado, incluso, Barry McCaffrey, el "zar" antidrogas de Estados Unidos. Todo parecía ir sobre ruedas.

—¿Cómo reaccionó usted, licenciado?

—De inmediato reubicamos a los funcionarios que habían descubierto el enlace, sobre todo a la valiente mujer que los jefaturó y cuyo nombre no puedo mencionar; les proporcionamos vehículos con blindaje especial y tratamos de protegerlos. Luego lo comunicamos a la superioridad.

—Y estalló el escándalo, licenciado.

—La vida de todos está en juego. De ahí la discreción con la que nos manejamos en este sentido. Por eso no queremos hacerle publicidad a la Unidad.

—¿Otros nombres destacados, licenciado?

—Los hay, desde luego. No es posible decirle más. Vamos a dejar las cosas en la anécdota que ya le narré. Imagínese: le estábamos dando todos los frutos de nuestras averiguaciones ¡al enclave de Amado Carrillo dentro del gobierno!

—La iglesia en manos de Lutero, ¿no?

—Y lo peor es que la Unidad no cuenta con muchos recursos. La desventaja respecto a la parte contraria es abismal. De este punto surgen los mayores riesgos. Como permanecer entre la espada y la pared.

¿Cuántos, en México, conocen los nombres, todos los nombres, de los beneficiarios del dinero sucio? Entre éstos, ¿cuántos banqueros y cuántos políticos callan para no perder relevancia ni, en su caso, la confianza del más alto, del más encumbrado? El chantaje puede llegar al primer nivel.

Una muestra. Manuel Bartlett Díaz, en los prolegómenos del proceso sucesorio en 1987, entregó al entonces presidente, Miguel de la Madrid, en propia mano, un voluminoso expediente elaborado para desacreditar a su mayor adversario político: el secretario de Programación y Presupuesto, Carlos Salinas.

—Está todo, señor —comunicó el secretario de Gobernación a su jefe institucional—. Negocios y vínculos.

El documento aquel resumía los negocios del "clan" y el posible amafiamiento del mismo en su frenética carrera por ganar la cúspide. Bartlett, incluso, pretendió llegar más lejos comprometiendo al mismísimo presidente respecto a algunos deslices, digamos, personales. De la Madrid, como pocas veces, se puso el saco... y la banda tricolor.

—Uno de ustedes será mi sucesor —concluyó el mandatario para finiquitar aquel áspero encuentro con el encargado de la política interior—. Y quiero que los vean juntos en la calle, en los restaurantes; con sus esposas, claro. Como amigos. De eso dependerá la decisión.

Bartlett ya no volvió a enseñar el puño. No es nada difícil que la réplica acabara por desnudarlo, sobre todo porque Carlos Salinas recurrió al "hombre leyenda", Fernando Gutiérrez Barrios, para contrarrestar al señor de Bucareli. Fue así como se consolidó don Fernando como el relevo "natural" de Bartlett en el Palacio de Covián. Los peldaños de la política son siempre firmes, dicen.

Narcotráfico y cofradía. Por los corrillos políticos nadie se explica la razón por la cual a algunos de los financieros favoritos en algún tiempo se les persigue y exhibe mientras a otros, fracturadas las normas conocidas, se les exime y consiente. Todos participan de acuerdo con las reglas del juego; y no todos son juzgados con la misma vara a menos que la garantía de impunidad se funde en un escarnio convenientemente matizado:

—La Procuraduría no está obligada a hacer lo imposible —acepta, con matizado acento fatalista, el "abogado de la nación", segundo en ocupar el cargo durante el régimen zedillista, Jorge Madrazo Cuéllar—. ¿Cómo puedo evitar que "el Divino" —Ángel Isidoro Rodríguez— ande suelto? La nueva legislación parece que los premia: los delitos a él imputados no están considerados como graves. Pese a los escándalos, no son graves. Así como suena.

—¿Los fraudes bancarios no se tipifican como graves?

—Así es. Y la penalidad no excede a la media de cinco años de prisión. Por eso "el Divino" llegó amparado a México y salió en libertad.

—Y lo mismo puede suceder con Carlos Cabal Peniche, centro de todas las sospechas como financiero de cabecera de algunos de los mejores hombres del salinato, ¿no es así?

—No queremos que nos vuelva a pasar. Actuaremos cuando tengamos la certeza de que va a pagar por lo que hizo.

Semanas después de esta conversación fue capturado, en Melbourne, Australia, el señor Cabal, yucateco de origen y tabasqueño por formación. Y, desde su reclusión, logró ampararse como si el proceso, en sí, fuera sólo una rutina insondable.

—Lo de Cabal no tiene nombre —explica Humberto Hernández Haddad, tabasqueño también, ex consul de México en San Antonio, Texas, y de dilatada carrera política—. Me consta que hasta los "gringos" temblaban cuando se le mencionaba.

—¿No exageras, Humberto? En Estados Unidos, ¿de verdad tenían interés en él?

—Más que eso. En alguna ocasión me visitó un alto funcionario de la oficina del Tesoro estadounidense, amigo mío. Del más alto nivel. Le comenté que me extrañaba mucho la negativa de proporcionarme información sobre las inversiones de Cabal y los orígenes de éstas.

—¿Le seguías la pista?

—Me llamaba la atención el hecho de que un mexicano hubiese tenido un ascenso tan espectacular. En fin, ¿sabes qué me contestó mi amigo? Después de telefonear a su secretaria para, supuestamente, demostrarme que no había ningún velo de misterio respecto a Cabal, bajó la cabeza y me dijo: "Lo siento; lo que pides está clasificado como *top secret*. Ni a mí me lo pueden dar. Jamás, en todos estos años, me había encontrado con algo parecido".

—Parece una concatenación de intereses subterráneos.

—Creo que tu visión es correcta. Date cuenta: a Cabal no podían seguirlo ni las altas autoridades del Tesoro. ¿De qué estamos hablando entonces?

Carlos Cabal, "el Rey Midas", ya nadie lo duda, fue uno de los más sobresalientes "patrocinadores" de las campañas priístas a lo largo del turbulento 1994, el año de la sangre política derramada y de la asunción a la presidencia del callado, más bien tímido, doctor Ernesto Zedillo Ponce de León. En plan de defenderse, Roberto Madrazo Pintado, separado de la gubernatura de Tabasco para contender por la candidatura presidencial en el seno del PRI, aceptó, incómodo:

—Cabal aportó 15 millones de pesos. El 80 por ciento fue para financiar la campaña del doctor Zedillo y sólo el 20 por ciento sirvió para la mía, en Tabasco. Pero ni siquiera abrí una cuenta en su banco ni, mucho menos, acepté con él alguna componenda.

Mucho antes de emitir tan rotunda declaración, ampliamente difundida, el todavía gobernador Madrazo, en el moderno despacho de la representación de Tabasco en la ciudad de México —sito en la calle Campos Elíseos de la capital—, de plano lanzó un reto:

—El dinero de Cabal, como el de otros emisores, se administró mediante fideicomisos perfectamente legales. Pero si quieren saber la verdad, su destino fue la campaña de Zedillo y sólo una parte mínima se invirtió en Tabasco. Yo lo reconozco. Había que preguntarles a ellos, al presidente y su equipo, por qué no hacen otro tanto.

—Pero, las "cajas de la infamia" te exhibieron, Roberto.

—Andrés Manuel López Obrador ha hecho una gran publicidad al respecto. Gracias a él, debo decírtelo, soy conocido en todo el país, incluso en sitios a donde jamás había llegado yo. En este sentido me ha hecho un inapreciable servicio, ¿no?

—Pero... la documentación está ahí. Y es muy comprometedora.

—La diferencia es que a mí me exhibieron. Cabría preguntar por qué. Y, sobre todo, ¿cómo llegaron a manos de Andrés Manuel todos estos documentos? Alguien se los mandó, es obvio. Y yo puedo asegurarte que fue un muy cercano colaborador del presidente Zedillo.

—¿Podrías ser más preciso?

—¿Quién manejaba, a principios del régimen, la política interior? El secretario de Gobernación, claro está.

—¿Esteban Moctezuma Barragán? ¿A él te refieres?

—No podría ser otro.

Andrés Manuel López Obrador, en calidad de dirigente nacional perredista, no es preciso en este punto. Cuando le interrogué acerca del origen de las "cajas", lo mismo que el de las detalladas listas de los beneficiados por el Fondo Bancario de Protección al Ahorro (Fobaproa), y concretamente sobre quién se las había entregado, me respondió casi con sorna, sonriendo:

—Es como milagroso eso, Rafael. De verdad.

Y se encogió de hombros, mirándome fijamente, antes de estallar en una festiva, estentórea carcajada.

Si Esteban Moctezuma, entre los "políticos" de nuevo cuño, es el discípulo incondicional del doctor Zedillo, en el campo de las finanzas, entre todos los inversionistas fuertes, el norteño Adrián Sada es, por mucho, el consentido. ¿Pura simpatía?

—Nadie te explica —me informa una colega de la "fuente"— la razón por la que el Grupo Financiero Serfín, del que es presidente el señor Sada, ha sido rescatado, de 1995 a 1999, es decir en lo que va del régimen del doctor Zedillo, cuatro veces. ¿Lo registraste? ¡Cuatro veces! Y no puede recuperar, pese a ello, sus niveles de rentabilidad aun cuando es el tercer banco mexicano, según sus activos y depósitos.

Serfín, privilegiado por las inyecciones oficiales que acabamos cubriendo todos los mexicanos, recaló en el recién creado Instituto para la Protección del Ahorro Bancario (IPAB), el "segundo Fobaproa" a decir de los líderes de la oposición, en vías de subasta. Mientras, el señor Sada y el director general del Grupo, Adolfo Lagos Espinoza, sobrino de don Manuel Espinoza Iglesias, en otras épocas accionista principal de Bancomer —hasta antes de la nacionalización bancaria de 1982—, hacen política, estrechan relaciones y afianzan alianzas... incluso personales.

—Es que don Adrián es, ya sabes, bastante singular.

—¿Integrante de la cofradía de la mano caída?

—Hay quienes lo aseguran.

Pero, eso sí, nadie duda de su cercana relación con el doctor Zedillo. Se llevan bien, hablan con frecuencia y acuerdan sin límite de tiempo. Quizá por ello el Grupo Serfín ha sido motivo de las generosas aportaciones oficiales con el dinero, claro, de la ciudadanía cautiva. Pura democracia.

Otro escenario. La Convención Anual de Banqueros exhibe, año con año, la más clara simulación. Los del dinero grande llegaron a Acapulco para hacer contrastar la "normalidad", esto es, la abundancia significada a través de mil quinientos invitados que nada desembolsan, con las pasajeras catástrofes como las secuelas del huracán *Paulina* que no le ponen a temblar el pulso al jefe de las instituciones nacionales. Todo es luminoso a su paso.

—¿Y usted señora? ¿Qué hace aquí?

En el hotel Princess, de "Gran Turismo" claro, el cerco de seguridad se estrecha. Soldados, policías, agentes "secretos" se disputan las zonas por las que, a su llegada, pasará "el señor" aquel 9 de abril de 1999. Pero una mujer madura, de clase media y no muy lejos de las cuatro décadas de edad, burla el dispositivo y se instala en el vestíbulo. Nadie la mueve de ahí durante largo rato.

—Me dijeron que podré ver a mi presidente, ¿no?

—¿Quién la mandó? ¿Cómo llegó hasta aquí?

—Pues caminando, desde luego.

Los encargados de la seguridad del lugar, sin rubor alguno, toman fuertemente por los brazos a la dama y la llevan, más bien la arrastran, hasta una patrulla. Minutos después, otra peculiar "escolta" traslada a Gerardo Fernández Noroña, el imaginativo líder de la Asamblea de Deudores de la Banca, hacia otro vehículo oficial.

—La verdad es que me secuestraron —cuenta Fernández Noroña—. Yo sólo pretendía entregarle un pliego al doctor Zedillo recordándole su promesa de entrevistarse conmigo. ¿Lo recuerdas? Fue cuando, desesperado, me tendí sobre la acera tapando el paso de la comitiva presidencial hacia el Palacio Nacional.

—Y le diste un manotazo al señor, ¿no?

—Fue sin querer. Cuando alguien me tomó por los hombros creí que era un guarura y le alcancé con el dorso de la mano. Era el presidente. Luego, ya incorporado, caminé junto a él y obtuve la promesa hasta hoy incumplida.

—La crónica de lo de Acapulco es distinta.

—Pues sí. Yo había declarado que estaría ahí. De hecho a nadie sorprendió mi presencia. ¡Hasta me tomé un cafecito con Adolfo Ribas Martín del Campo! —secretario general de la Asociación de Banqueros de México.

—¿Pretendió presionarte?

—Para nada. Fue un encuentro casual y sin mayores incidentes... hasta que llegaron los agentes judiciales. Lo extraño es que nadie me impidió el paso al hotel... ¡y afuera había cientos de soldados!

—¿Un descuido quizá?

—Lo dudo. El caso es que me encerraron en una patrulla. Y dimos un largo paseo. Ya entrada la noche nos detuvimos en un paraje solitario. Ni siquiera me dejaron estirar las piernas. Por un momento creí que no lo iba a contar.

—¿Te dieron alguna explicación?

—Nada. Ni una palabra siquiera. Cuando me soltaron, claro, el evento había terminado.

Los banqueros de la normalidad, pruebas andantes, no siempre pensantes, de la manera como se recuperan los mexicanos ante la adversidad, alejados eso sí de los damnificados y de las escenografías "populistas" de Guerrero, la entidad tantas veces mancillada por los fraudes recurrentes, electorales y financieros, deambulan con distinto talante por los escenarios del poder. Están a sus anchas. Comen bien, se intercambian habanos, y disfrutan de lo lindo de su *status*.

Eduardo Fernández García, presidente de la Comisión Nacional Bancaria y de Valores, gran "liquidador" de los fraudes cometidos por "otros" —Ángel Isidoro Rodríguez, "el Divino", Jorge Lankenau Rocha—, favorito de la administración zedillista por ende, es demostración fiel de lo anterior; reflejo, al mismo tiempo, de la impunidad que tranquiliza a los socios mientras dura el disfrute.

—Míralo, tan cínico —exclama la esposa de un alto funcionario bancario, en el marco espléndido de la Convención—. ¡Trajo a su amiguita!

Fernández García, bajo de estatura y de complexión delicada, arriba al evento de la mano de la treintañera Mónica Valladares, exitosa ejecutiva de una casa de bolsa. No le importa la presencia de algunos reporteros porque, asevera, "los tengo controlados". Sin embargo, los informadores le descubren y acosan. Agobiado, sudoroso, fuera de sí, ordena a su ujier, Luis Felipe González, su sombra, que los repliegue:

—¡Rápido, rápido! ¡Sácame de aquí! ¡Pero ya! ¿No ves que me están abordando? —la voz chillona del personaje hace sonrojarse a las damas presentes.

Fernández, entonces, se retira. Pero vuelve al escenario, alumbrado por su nueva compañera, a la hora de la cena. Y las señoras, molestas por la irrupción de la pareja, le hacen el vacío.

—¡No podemos fallarle a nuestra amiga! —comenta la señora de José Ángel Gurría refiriéndose a la esposa de Fernández, apreciada por su altruismo—. Todavía el año pasado estaba con ella.

Ni así se ruboriza el aludido. Por cierto, las cónyuges del secretario de Hacienda, ya citada, y del gobernador del Banco de México, Guillermo Ortiz, se niegan a compartir mesa con la feliz mancuerna convertida en la comidilla de la reunión. Días más tarde, Luis Felipe González, me telefonea:

—Una aclaración nada más: el licenciado Fernández García ya está divorciado de su mujer.

—Nadie ha sostenido lo contrario. Me informaron, nada más, que la nueva compañera suya, la señora Valladares, fue rechazada en el apretado círculo social de los financieros.

—Bueno, él asistió a la Convención de Acapulco con la señora Valladares porque está formalizando su unión con ella.

—¿Quiere usted que aclaremos algún punto?

—Mejor no. Vamos a dejarlo de ese tamaño.

—Me parece, señor González, que su jefe no fue discreto. Ni siquiera en presencia del presidente Zedillo.

—No hizo nada malo, ¿no?

—¿Usted cree?

Lo cierto es que al término de la clausura de la Convención, desdeñado, Eduardo Fernández, irascible cuando surgen versiones contrarias a las divulgadas por él, como por ejemplo las voces de quienes defienden a los ex banqueros en desgracia perseguidos por instrucciones de "muy arriba" a decir de los mismos, opta por encontrarse, en compañía de su joven dama, con Carlos Gómez y Gómez, presidente de la Asociación de Banqueros de México, y José Madariaga Lomelí, antecesor de éste y presidente del Consejo de Administración del Grupo Financiero Bilbao Vizcaya, y sus respectivas esposas.

El encuentro es de lo más ameno, sobre todo porque, sin medir consecuencias, el señor Madariaga, festivo, flirtea con una guapa reportera, de mesa a mesa, sin detenerse por las duras miradas de su señora. De pronto se levanta y acude al encuentro, escaleras de por medio, con la informadora:

—¡Me tienes loco! ¿No quieres tomarte una copa conmigo?

—Parece que el dinero te ha trastornado —le espeta la joven periodista—. ¡Vuelve a tu sitio!

—Pero, por favor, ¡no te niegues!

—Ya hablaremos. ¡Carajo, nos está viendo tu mujer!

Trastabillando, el banquero regresa con los suyos. Y la celebración, en el Bar Pepe's propiedad del primogénito del propio Madariaga, continúa por varias horas más.

A mediados de 1995, cuando el país entero sufría los embates del inolvidable "error de diciembre" de 1994, mismo que descapitalizó a los mexicanos bajo el alegato oficial de un profundo déficit en la cuenta corriente del gobierno, José Madariaga Lomelí, como cabeza visible de los banqueros entonces, acudió a intercambiar opiniones con los articulistas de *Excélsior*. Le pregunté:

—¿Tienen salvación moral los banqueros? Porque, tras cada crisis, sus clientes son más pobres, pierden poder adquisitivo y los ahorros de toda su vida, y a ustedes no les va nada mal. ¿Cuándo compartirán los costos?

—Vamos bien —contestó—. Por ejemplo, el problema de la cartera vencida está en vías de solucionarse en términos muy favorables para los deudores. Con las "unidades de inversión" (las llamadas "Udis") podrán renegociar con los bancos y evitar el acoso.

—¿Y quienes no acudan porque, sencillamente, no cuentan con capital para liquidarle a los bancos, serán embargados?

—Eso no nos interesa. No tendríamos en dónde poner los bienes embargados. Nos preocupa evitar un quebranto mayor.

—¿Quiere esto decir que los bancos mexicanos están heridos?

—No, al contrario: tienen una gran solidez. Por eso buscamos alternativas favorables para todos.

Unos meses después, al correr de 1996, Madariaga Lomelí, dueño y señor del Grupo Mercantil Probursa, prefirió que su negocio fuera absorbido por los españoles del Banco Bilbao Vizcaya (BBV) quienes, muy en su papel, le dejaron al frente del Consejo de Administración. Una operación redonda... para los capitales de afuera.

Y lo mismo ocurrió con Carlos Gómez y Gómez, quien encabezaba el Banco Mexicano Somex antes de ser asimilado por el Grupo Financiero Santander... Mexicano, el mismo consorcio recién fusionado en España con el Banco Central Hispano e inmerso en el debate sobre las soberanías holladas por los monopolios financieros en cierne. (El gobierno portugués, como muestra, debió confrontar en julio de 1999 a la Comisión Europea que le conminó a aceptar, a rajatabla, los términos de la adquisición de una poderosa entidad económica de aquella nación.)

Habla Jorge Lankenau Rocha, desde su celda en Topochico, Nuevo León:

—Algunos banqueros aceptaron el esquema para la extranjerización de la banca mexicana. El gobierno tenía interés, mucho interés en ello. Eduardo Fernández García fue el orquestador para debilitar a las instituciones de crédito y abaratarlas, ofreciéndolas a precios de ganga. Y todo porque la estrategia oficial era la de abrir las puertas al capital foráneo.

—¿Usted fue de los que no aceptaron?

—Así es. Pero déjeme decirle: Eduardo Fernández, con el apoyo del presidente de la República, influyó decisivamente para cambiar las normas de la supervisión bancaria. Yo intenté evitarlo e incluso contraté a un especialista de Estados Unidos para que me dijera si era viable o no el nuevo modelo. La conclusión fue dramática: más de tres bancos estaban fatalmente condenados a la quiebra.

—¿Intentó hablar con el doctor Zedillo al respecto? ¿Alguien le escuchó?

—Pretendí darle una salida periodística. Y hablé con mi compadre Alejandro Junco de la Vega —presidente del consejo de administración de los diarios *Norte*, de Monterrey, y *Reforma* de la ciudad de México—. Como respuesta me envió a dos informadores, entre ellos Jorge Meléndez, y con ellos le mandé la documentación respectiva para que la publicara.

—No recuerdo haber visto publicada la entrevista.

—Porque no salió a la luz pública. Eso sí: el estudio fue a parar a manos de Guillermo Ortiz, quien fungía todavía como titular de Hacienda, y es él quien me habló, en términos muy duros, para disuadirme.

—¿Ahí comenzó su debacle, señor Lankenau?

—El mío y el de cuantos no nos sujetamos a las nuevas condiciones. No queríamos perder nuestros bancos. ¡Ése fue nuestro mayor delito!

Las fricciones, eso sí, se agudizan. Durante una reunión en Palacio Nacional, formado Lankenau para la habitual salutación al "primer mandatario", Guillermo Ortiz se le acerca y le dice:

—Ya te tenemos. Si sigues así te vas a quedar sin banco.

Presionado en extremo, minutos más tarde el obeso Lankenau —la prisión le ha "robado" esta característica— se desvanece en la sede del

Ejecutivo federal. Y días después los auditores de la Secretaría de Hacienda toman, casi por asalto y masivamente, las instalaciones de Banca Confía. La sentencia es inapelable.

"El Divino" también se defiende:

—Con Guillermo Ortiz siempre mantuve una relación muy cordial. De cuates. En algunas ocasiones me pidió mi avión para viajar con su familia a algunos centros de recreación en Estados Unidos. Lo apunto, no se lo echo en cara.

—¿Y la persecución, fundada o no, cómo sobrevino?

—A partir de la intervención de Eduardo Fernández y del abogado Pedro Zamora —vicepresidente jurídico de la Comisión Nacional Bancaria y de Valores— las cosas cambiaron dramáticamente. Las pruebas de que no había fundamento en sus acusaciones es que estoy libre... bajo fianza, claro.

De las paredes de su despacho, sito en el edificio del World Trade Center de la capital de México, cuelgan testimonios y fotografías que prueban el nivel alcanzado entre los hombres del poder, Carlos Salinas, Luis Donaldo Colosio... y los financieros encumbrados.

—Todos me tuvieron confianza. De otra manera, ¿habría llegado tan alto?

—¿Qué marca la diferencia —inquiero— entre los perseguidos y los ahora protegidos?

—No sé por qué me escogieron a mí. Se lo juro.

Ninguno es una blanca paloma. Todos, los caídos y cuantos permanecen arriba, jugaron y juegan con las reglas impuestas por los usufructuarios del poder. De esta premisa surge la incomprensible bifurcación que coincide, eso sí, con las marejadas de la nueva clase gobernante en vías de consolidarse superando la herencia de Carlos Salinas ¡pero sin rectificar el camino!

Pero los socios también se agotan. Alfredo Harp Helú, una de las cabezas del Grupo Financiero Banamex Accival, cansado de ganar dinero, más bien de las presiones constantes desde la cúpula, está a punto de encontrar un nuevo destino:

—Me gusta tanto rescatar haciendas —mediante generosos fideicomisos—, ¡que me voy a dedicar sólo a eso!

Su socio principal, Roberto Hernández Ramírez, está en el ojo del huracán, acusado de estar relacionado con los "capos" del Golfo... precisamente por quienes, a su vez, deambulan bajo sospecha. En Quintana Roo, un cotidiano auspiciado por el gobierno estatal, igual que su matriz yucateca, *Por Esto!*, lo llamó narcotraficante porque, al parecer, se había detectado una operación para transportar cocaína a partir de las propiedades del magnate, en la costa turquesa del Caribe mexicano. La reacción no se hizo esperar; encolerizado, Hernández Ramírez procedió:

—¡Voy a demandar a ese periódico y a su director! —el antiguo "guerrillero" Mario Menéndez Rodríguez convertido en uno más de los mercenarios de la pluma al medrar con el cacicazgo de Víctor Cervera al que antes repudió.

Y así lo hizo. El proceso, infectado por la intervención del que fuera gobernador quintanarroense, Mario Villanueva Madrid, asfixiado por los señalamientos de haber sido enlace de la mafia y quien se dio a la fuga unos días antes de entregar la estafeta del gobierno al priísta Joaquín Hendricks, no parece tener fin... si bien el tiempo, la inefable medicina del tiempo, parece obrar a favor del olvido... y la impunidad.

Don Pedro Hernández, padre del banquero y agricultor exitoso, me narró su propia experiencia:

—No hace mucho, cuando volaba entre la ciudad de México y Cancún, supimos que nos venían siguiendo. Al parecer se trataba de algunos aviones de la Procuraduría General de la República. Por supuesto, no hicimos caso.

—¿Fueron interceptados, don Pedro?

—No. Pero al llegar al rancho de Roberto sucedió algo muy extraño: descubrimos que desde unas avionetas arrojaban costales. Deducimos, desde luego, que contenían droga. Y avisamos enseguida a las autoridades. Después apareció la historia en el periódico de Menéndez con otra intención.

—¿Cuál, don Pedro?

—El sujeto ese —Menéndez Rodríguez— le pidió un préstamo a Roberto sin garantías; le avalaba, claro, Mario Villanueva. Mi hijo se negó naturalmente y de ahí sobrevino el chantaje.

Es curioso que entre financieros y "padrinos", lo mismo que entre militares e incluso ex mandatarios, las acusaciones se entrecrucen. En unos casos se trata de querellas por el control de ciertos territorios; en otros, los más frecuentes, todo se reduce a un burdo camuflaje para tratar de esconderse, unos detrás de otros, distrayendo y confundiendo a las autoridades y, desde luego, a la opinión pública expuesta siempre a la manipulación sostenida.

Una muestra. Tras la salida de Guillermo Ortiz de la Secretaría de Hacienda y su inmediata incorporación al Banco de México como gobernador, no fueron pocos los barruntos de tormenta por un endurecimiento de las posiciones. El sucesor de Ortiz en Hacienda, José Ángel Gurría, al término de una gira presidencial, con un dejo de ironía se refirió a la permanente intromisión del primero en asuntos que ya no eran de su competencia:

—¡Ahora sí! Le ahorcamos su mula de seis a Ortiz.

Enterado, el gobernador Ortiz, perdida toda perspectiva de acceder hacia un nivel más alto, puso el punto final:

—Lo que pasa es que siempre le gano a Gurría... en el dominó.

Hacia afuera las relaciones institucionales son aparentemente normales; adentro se aprietan las complicidades. ¿Cómo fue, entonces, que el financiero de financieros, el favorito del salinismo y entronizado "Rey Midas", Carlos Cabal Peniche, resultara aplastado por el sistema que lo encumbró?

Precisamente quien manejó las cuentas, operaciones y contubernios de las "primeras familias", las de Miguel de la Madrid y Carlos Salinas, y también las de sus principales aliados y favoritos, algunos todavía en rabioso ejercicio proselitista, como Emilio Gamboa Patrón y Roberto Madrazo Pintado, fue exhibido como el engendro mayor, el monarca de los delitos de cuello blanco y el símbolo de la escoria nacional. Todo ello, y aquí lo extraño, sin que sus socios políticos fueran mínimamente molestados

Pues bien, Cabal estrenó página en el mundo cibernético desde su reclusión en el "quinto continente". Y en ésta se define:

"Es la historia —la suya— de cómo un hombre de negocios exitoso e idealista decidió enfrentar al régimen político autoritario de más larga existencia en el mundo entero —más bien se benefició del mismo, cabe puntualizar—, y del precio que tuvo que pagar por ello. Trata de cómo el gobierno mexicano lo transformó (*sic*) de uno de los empresarios más exitosos del país en el hombre más buscado de la nación; de cómo el gobierno lo presentó como modelo de la forma en que los mexicanos deben conducirse en los mercados internacionales y de cómo luego lo culparon del colapso del sistema bancario de su país."

¿Defensa o autocrítica? ¿Explicación o declaración de guerra? Desde la cárcel, en el punto más alejado de la patria a la que dice haber servido, Cabal ya fue amparado por la "justicia" y podría pisar suelo mexicano sin que pudiera ser asegurado. ¿Es esto lo que se buscaba? ¿El colapso tácito del sistema jurídico a manos de los financieros poderosos, dueños de los secretos de la impunidad?

Prosigue la publicidad de Cabal en Internet en los siguientes, increíbles términos:

"Carlos es un ex banquero mexicano criado en una de las regiones más relegadas de México —Yucatán, Tabasco—. Tuvo buenos y malos momentos... hasta que tuvo tanto éxito que el gobierno lo alentó para que comprara uno de los bancos mexicanos que iban a privatizarse. En tanto preparaba la adquisición de un segundo banco, la política se interpone: se produce el levantamiento rebelde —en Chiapas—, el asesinato del candidato presidencial del gobierno y el colapso económico."

Una víctima, nada menos. ¿Y las acusaciones? ¿Quién responde por la quiebra técnica de Banca Unión y las secuelas posteriores contra cuentahabientes y accionistas? No se diga las fundadas sospechas sobre las multimillonarias desviaciones que se tipifican como malversación de fondos. Para él, la medida es otra:

"De repente, a Carlos Cabal se le acusa de un fraude bancario por $A 350 millones —la cifra se da en dólares australianos—, en tanto la nueva élite política trata de explicar un desastre bancario nacional que le cuesta a los contribuyentes mexicanos la suma de $A 100 mil millones."

En el espacio, Cabal habla de su familia, de su larga fuga por quién sabe cuantos países durante más de cuatro años y de los sacrificios que culminan con el arresto "durante su caminata matinal en el suburbio de Brigthon, en Melbourne, Australia".

"Ésta es una historia —sintetiza la página del *web*—, que muchos de la clase dirigente preferirían no oír."

Estoy conmovido. Les pido a los amables lectores que, juntos, sufraguemos lo necesario para la erección de un monumento en memoria de los banqueros caídos. Pobrecitos. Apenas tienen recursos. Ángel Isidoro Rodríguez, "el Divino" desembolsó, nada menos, dos millones de pesos para promoverse en los medios y cooptar a algunas plumas "claves". Pero necesitan más. Sobre todo Cabal. ¿Les ayudamos?

Hay que apurarse: es necesario que la pieza escultórica sea inaugurada por el doctor Ernesto Zedillo Ponce de León, quien debe comprometerse a llevar, junto a él, a Guillermo Ortiz, José Ángel Gurría, Eduardo Fernández, Pedro Zamora y todos los banqueros que ahora son sólo empleados del capital transnacional. Son los socios, algunos de los mejores hijos... del sistema.

Adolfo López Mateos, presidente de México de 1958 a 1964, sentenció un día:

"Cada mexicano tiene metida la mano en el bolsillo de otro mexicano... ¡y pobre de aquel que rompa la cadena!"

Los socios también lloran.

8. Los cazadores

—Es muy fácil encontrar a "Marcos". Si lo quieres ver, asiste a alguna de las veladas que organizan los intelectuales en la ciudad de México. De vez en cuando se aparece por ahí.

El rumor crece. "Marcos", el célebre subcomandante que dirige a los neozapatistas emboscados en la Selva Lacandona desde enero de 1994, más de un lustro ya, con o sin el pasamontañas que le convirtió en el icono moderno de los jóvenes rebeldes con dependencia extrema del mundo cibernético, visita con frecuencia a ciertos amigos suyos, algunos de elevada raigambre social y cultural, en el corazón mismo de la República Mexicana: su capital.

—Lo vi el otro día —narra un joven reportero—, en un festejo con el maestro Octavio Paz —quien semanas más tarde elevaría su espíritu, más allá de la existencia mundana, dejando atrás la convenenciera cohabitación con el "sistema"—. No es la primera vez. Llega "como Pedro por su casa". Y luego desaparece.

Sin admitir ser reconocido como Rafael Sebastián Guillén Vicente, la filiación oficial divulgada por el propio presidente de México en un arranque pasajero de rabia, el notable luchador social, cabeza visible de la única "guerrilla pacifista" de la historia, hace uso del singular camuflaje campesino, pese a su distinta altura y complexión respecto a los indígenas, para vadear el cerco militar físicamente; bien sabemos que por el espacio nunca tuvo límites gracias al aprovechamiento integral del gran invento de Bill Gates, el hombre más rico del planeta según el semanario *Forbes* de Estados Unidos.

Los brotes revolucionarios, por tanto, dejaron atrás la institucionalidad, una propuesta absurda todavía vigente en el arteriosclerótico PRI, para ser atrapados por el encanto del mundo globalizado... por Internet, claro.

Pues bien, desde enero de 1994, luego de once días de intercambio de metralla, "Marcos" ha mantenido su mitología. ¿Méritos? Uno notable: haber despertado a la adormilada conciencia nacional para sacudirla con el drama latente de los pueblos marginados, injustamente postrados. ¿Defectos? La cerrazón ideológica que le impide resolver su propia coyuntura política integrándose al régimen de partidos dando cauce a un liderazgo natural. El absurdo mayor es el *impasse*.

—Después de las elecciones del 2000 —adelantó "Marcos" a la televisión europea—, dejaremos la lucha armada.

Otra polémica. A cada paso es lo mismo. ¿Acaso el anuncio se cernía a la posibilidad real de la alternancia en el poder en México, en favor de una oposición estructuralmente aún débil? Porque, obvio es decirlo, no sería razonable una claudicación formal a la vista del espectáculo de un continuismo simulador. Finalmente, el papel de vigía le alcanzó, cuando menos, para dos procesos electorales en pos de la presidencia de la República —1994, 2000—. Cuando Francisco Villa pretendió hacer lo mismo lo mataron en Parral, Chihuahua.

—¿Estuvo atrás del levantamiento en Chiapas el doctor Carlos Salinas? —le pregunto a Manuel Camacho Solís, acaso el político más avezado de la generación que entronizó al clan de Agualeguas y primer coordinador oficial para la búsqueda de la paz tras la sublevación neozapatista.

—Eso me parece absurdo, Rafael. Tengo claro que el alzamiento fue un golpe muy duro contra la estabilidad de su gobierno, cuando más la necesitaba.

—Pero él sabía de la existencia de los núcleos guerrilleros y nada hizo, Manuel.

—Porque creyó que con una labor social intensa podría contrarrestarlos y evitar así el escándalo mundial.

—¿Crees entonces en la autenticidad del movimiento? ¿No se formaron cuadros de élite?

—Yo los vi de cerca. Y vestían con mantas y portaban armas de palo. No había privilegios.

Otra historia corre paralela. Tiempo atrás, precisamente hace diez años cuando comenzaron a brotar los grupos inconformes por la sierra chiapaneca, Raúl Salinas de Gortari, quien parece el enlace entre todos los sucesos de barbarie del periodo presidencial de su hermano Carlos —los asesinatos de Luis Donaldo Colosio, Francisco Ruiz Massieu y el cardenal Juan Jesús Posadas Ocampo, entre otros—, al lado de Hugo Andrés Araujo realizó singulares "tareas de campo" por la región convulsa. Es imposible, al medir los hechos simultáneos, que no hubiera existido algún contacto con los núcleos rebeldes.

—¿Y qué me dices del encuentro de Los Pinos? —ataja un observador directo—. Ahí estuvo hospedado el guerrillero por antonomasia de Guatemala, Gaspar Illom. ¿Por qué nadie indaga al respecto? No hay ni siquiera una sola línea de investigación. Muy curioso, ¿verdad?

Meses antes de la toma de San Cristóbal de las Casas por parte del Ejército Zapatista de Liberación nacional —primero de enero de 1994—, Gaspar Illom —hijo del célebre novelista y premio Nobel Miguel Ángel Asturias—, quien tomó el nombre del personaje central de una de las obras de su progenitor, *Hombres de maíz*, permaneció en la residencia oficial del presidente de México durante varios días en franca, cercana comunión con los Salinas, especialmente con Carlos, el mandatario, y Raúl, el cófrade ambicioso y administrador de los negocios del clan (para información complementaria, véase *Intereses oscuros*, Grijalbo, 1997).

—De haberse divulgado el encuentro —nos explica la misma fuente confidencial—, se habrían trastocado los términos bajo el supuesto de una heroica mediación del mandatario mexicano en pro de la paz en Guatemala y por iniciativa de su colega del sur, entonces Jorge Serrano Elías.

—Todo estaba preparado, ¿no?

—Salinas jamás hacía algo sin protegerse las espaldas. Lo cierto es que Illom estuvo en Los Pinos, convivió con la familia presidencial y se marchó días después. Luego vendrían el estallido y la inmediata aclaración del gobierno guatemalteco, y de los rebeldes del otro lado del Suchiate, negando cualquier proximidad con los neozapatistas.

—Y no hay, como dices, ni la más pequeña huella de ello. Ni siquiera porque en la víspera del fin de año de 1993, horas antes de la sublevación televisada, los Salinas salieron apresuradamente de su refugio invernal en Bahía de Huatulco, Oaxaca.

Sabían. De eso no hay duda. Pero hay algo más. Raúl y Carlos Salinas, unidos siempre hasta cuando ejecutaron a una humilde servidora doméstica de catorce años en diciembre de 1951, tuvieron una interesante, apasionada y semioculta actividad "subversiva" en sus años mozos pese a su condición de "niños-bien".

Pablo Moctezuma Barragán, hermano de Esteban —el primer secretario de Gobernación de la era zedillista y posterior titular de Desarrollo Social—, con formación izquierdista que le permitió sumarse al carro triunfal del neocardenismo en el Distrito Federal al punto de ser designado delegado en Atzcapotzalco, me contó una singular experiencia:

—Cuando me iniciaba en esto de la lucha social, hace poco más de dos décadas, asistí a un mitin en el que pretendía formarse una célula de "Línea de Masas", una organización extremista con financiamientos no muy claros. ¡Y ahí conocí a los hermanos Salinas de Gortari!

—Pero, se suponía que sus afanes eran otros, en la alta sociedad y como caballistas distinguidos.

—Pues estaban ahí, Rafael. Y eran de los más aguerridos, con los puños en alto y los gritos a flor de labios. Luego me enteré que parte del capital de aquel organismo provenía de la familia Salinas y servía para reclutar y cooptar a algunos núcleos campesinos. ¿Qué te parece?

Pablo, condiscípulo durante nuestro paso por las aulas preparatorianas, también dialogó con el periodista meses después de la asunción del doctor Ernesto Zedillo a la presidencia y, por consiguiente, del nombramiento de su hermano menor como titular de la política interior del régimen.

—Me parece —le dije— que Esteban está perdiendo la perspectiva.

—Yo también lo creo —respondió Pablo Moctezuma, tratadista y antropólogo también—. No sólo lo que pasa en Chiapas es relevante. Y eso va a ocasionarle problemas.

—¿Por qué no se lo dices, Pablo?

—Lo haré. Dentro de unos días tendremos un conciliábulo familiar y aprovecharé la ocasión.

—No dudo, Pablo, que lo estén encasillando sus enemigos para después desbordarlo. Porque lo de Chiapas, por el momento, no tiene salidas.

Poco duró el experimento. Llevado al extremo de una agria confrontación con el entonces procurador Antonio Lozano Gracia, quien insistía en proceder judicialmente contra los alzados por ser responsables del delito de disolución social, entre otros, Esteban Moctezuma perdió la batalla y debió dejar el cargo. Días más tarde fue trasladado hacia una clínica de Estados Unidos para ser atendido por un severo conflicto neurológico. ¿Qué descubrió y debió silenciar para retornar triunfalmente al gabinete de su amigo y jefe Ernesto Zedillo?

Resulta extraño, curioso cuando menos, constatar que la cohabitación entre los más audaces guerrilleros y los usufructuarios del poder en México no es nueva. Buscando mayores vínculos encontré uno de suyo sorprendente:

1. Genaro Vázquez Rojas, aquel mítico guerrillero de la inquietante década de los sesenta, comenzó su trayecto político, por supuesto frustrado, gracias al empuje de un compadre singular: Luis Echeverría Álvarez. Don Luis era oficial mayor de Gobernación y Genaro un humilde maestro rural con gran capacidad de convocatoria cuando se encontraron con motivo del bautismo del hijo del segundo. De ahí la cercanía.

2. Echeverría, después, fue el encargado de tender la trampa para que cayera Vázquez Rojas, por presiones del Ejército Nacional, cuando el famoso rebelde, después difamado con bajeza al presentarse fotos suyas en una casona de Cuernavaca con una joven señora como si hubiese hecho de su largo acoso al gobierno un festín, parecía haber desbordado a las instituciones.

3. De la premisa inicial surgió la posibilidad, ya extinto Genaro, de un encuentro entre el sucesor de éste, Lucio Cabañas, y el candidato

oficial a la gubernatura de Guerrero, Rubén Figueroa Figueroa, el 24 de mayo de 1974. El resultado fue el "secuestro" del entonces senador Figueroa y la posterior represión, sin miramientos, contra los guerrilleros de Cabañas quienes pagaron, cazados como ratas y dentro de un círculo de fuego —los mílites quemaron todos los accesos a las serranías—, las humillaciones infligidas al grotesco cacique, padre de Rubencito, el mandatario defenestrado el 12 de marzo de 1996 por las secuelas de la execrable matanza de Aguas Blancas, Coyuca de Benítez, cuando decenas de campesinos fueron acribillados a manos de policías enloquecidos y previamente adiestrados.

4. Puntos para la controversia. ¿Por qué nada se ha averiguado al respecto? ¿Cómo es posible que Rubencito, el hijo, jamás fuese siquiera molestado en su persona y bienes a pesar de la indiscutible participación de sus esbirros en la masacre del vado Aguas Blancas? Y ahora que está tan de moda airear el nombre de Raúl Salinas, sobre todo cuando se trata de ventilar algunas afrentas políticas de otra índole, ¿cuál es la razón por la que se oculta el tormentoso pasado "socializante" de los hermanitos Salinas? ¿Y el compadrazgo histórico de Echeverría, cada vez más señalado por su participación en los sucesos sangrientos de Tlaltelolco en 1968, con quien hizo prender la llama de la rebeldía en la sierra de Guerrero cuando el emblema del "Che" Guevara inflamaba a los jóvenes?

A finales de la década de los sesenta, años de cálida insubordinación espiritual contra el estado de cosas, también de insensatas cadenas represivas, el presidente Gustavo Díaz Ordaz llamó a su secretario de Gobernación, Luis Echeverría, para encargarle una muy delicada responsabilidad, cuya trascendencia podría incidir, claro está, en el incipiente proceso sucesorio:

—Me dicen —comunicó Díaz Ordaz a su subordinado— que usted conoce al profesorcito ese. Encárguese.

—Eso fue hace muchos años, señor presidente.

—¿No entiende, Luis? El presidente de la República le ha dado una orden. Y espera resultados inmediatos.

Presuroso, Echeverría salió del despacho presidencial convencido de que aquella era su oportunidad. Y comenzó entonces la cacería del "compadre", sin detenerse en las viejas raíces y los sueños comunes. Cuando cayó Vázquez Rojas, siendo ya presidente Echeverría, tras una emboscada en un cruce de carreteras en Michoacán, una trampa a todas luces burda, comenzó la relampagueante tarea desacralizadora:

—¡No vaya a ser —enfatizó el "primer mandatario"— que ahora tengamos a un "che" mexicano!

Y aparecieron, publicadas a todo color *en El Heraldo de México* —cuando tal impresión de lujo no era frecuente en los cotidianos—, varias gráficas tomadas en una casona de la capital de Morelos a Vázquez y su pareja. ¿La intención? Exhibir al "héroe" como un burgués vulgar que también sabía disfrutar de los placeres de la vida. Jamás nadie encontró el hilo conductor entre las fotos y quienes las pusieron en la mesa de redacción del periódico mencionado. Golpe redondo. Echeverría, claro, y con la Plaza de las Tres Culturas como plataforma sangrienta, estaba posesionado de la "primera magistratura", llenando todos los espacios.

Crímenes y asaltos por el poder, incluidos algunos de los movimientos rebeldes, ¿están concatenados?

Manuel Camacho cuenta su historia:

—Si yo hubiera estado en la mente de Salinas como posible sucesor, ¡yo lo habría sido!

Así se exculpa de las sostenidas sospechas, las más soterradas, acerca de su posible involucramiento en el crimen contra Luis Donaldo Colosio en marzo de 1994.

—Mira —prosigue con vehemencia, ansioso—, Salinas me dejó solo. Después del asesinato, declaré en la Agencia Funeraria Gayosso que por ningún motivo y por ninguna circunstancia sería candidato presidencial. Y no olvides que el 22 de marzo, un día antes del drama, Luis Donaldo hizo una declaración en mi favor como nadie lo había hecho.

—Ésa es tu defensa, Manuel. Pero, ¿qué pasó con Salinas?

—Saliendo de Gayosso yo ya estaba definido. Y de ahí me voy a Los Pinos a reclamarle a Salinas, Rafael, que no había tenido madre por lo que había ocurrido. Él me había ofrecido que estarían varios elementos del Estado Mayor Presidencial recibiéndome, etcétera. Nada de eso ocurrió.

(Cuando Camacho salió de la funeraria aquel 24 de marzo de 1994, un numeroso grupo de gritones, al parecer financiados por el entonces gobernador del Estado de México, Emilio Chuayffet Chemor, lanzaron improperios contra aquel, llamándolo asesino y coreando el apellido Colosio.)

—¿Se justificó Salinas?

—No podía hacerlo. Hay que saber, además, todo lo que hicieron en la noche anterior en contra de mi persona. A Salinas le dije: "Oye, voy a pedir tu intervención; esto ya no son bromas. Me están trasladando una responsabilidad de algo en lo que no tengo nada que ver. Y si no para esto Diana Laura —Riojas, la viuda de Colosio—, en cualquier momento se le vienen a mi familia encima; estamos en medio de toda la mugre".

—Pero Diana Laura se negó, Manuel.

—Yo insistí con Salinas: "Si ella realmente cree que yo soy responsable, que lo diga; y si no es así que tenga la generosidad de no echarme encima esta situación; porque si no lo hace, otros se van a aprovechar.

—¿Ella nunca volvió hablar contigo?

—No. José Luis Soberanes —senador de la República y cercano amigo de Colosio— declaró que se esperaba que yo le mandara a Diana Laura una carta. ¡Pero yo se la mandé! La pregunta es: ¿quién evitó que esa carta llegara a sus manos?

—¿Qué pretendías con la carta?

—Expresarle mis sentimientos a Diana Laura. Yo le tenía gran cariño. Pero, sobre todo, quise evitar que la jauría fascista del régimen siguiera haciendo las cosas que estaba haciendo conmigo, con todos.

—Por supuesto, nunca fuiste el precandidato.

—Nadie que haya estado informado antes y después del asesinato puede sostener otra cosa.

Retomo: "jauría fascista del régimen". Un régimen al que él, Manuel Camacho, perteneció en nivel relevante casi hasta su final, incluso en el año último cuando, como comisionado, representó a la administración de Salinas en las primeras negociaciones de paz con el Ejército Zapatista. Las jornadas en la catedral de San Cristóbal, concentradas las delegaciones del gobierno y los insurrectos, posibilitaron, debieron hacerlo, una cercanía mayor:

—¿Lograste acercarte, personalmente, a "Marcos" durante esos días? —le pregunté a Camacho Solís.

—No. Cada quien estaba en su cubículo. Eso sí: yo telefoneaba al presidente Salinas todos los días.

Fascistas de por medio —¿A quiénes les viene el saco? ¿Al doctor Joseph-Marie Córdoba Montoya, por ejemplo? ¿Al propio titular del Ejecutivo federal?—, Camacho aterrizó en la oposición, fundó un nuevo partido, el del Centro Democrático, hasta alcanzar nueva relevancia como mediador entre las distintas fuerzas disidentes. ¿Y el deslinde con el pasado? Lo mismo puede preguntarse a Echeverría y a los hermanitos Salinas quienes revolotearon en sus respectivos momentos, con sus aguijones dispuestos, alrededor de la dulce miel del sistema.

Son cazadores de historia tanto los míticos jefes rebeldes quienes obsequian pipas, los mejores *souvenirs* disponibles, a Oliver Stone creando una atmósfera propia de Hollywood y del propio director cinematográfico, como cuantos, con inclinaciones mesiánicas, convierten cada paso de sus vidas en meros papeles histriónicos, estudiados papeles, para apagar la sed protagónica que tanto les agobia. También los criminales que rompen la intrascendencia, asfixiados por ésta, con explosiones extremas de barbarie.

Catorce asesinatos envuelven el expediente sobre el magnicidio de Luis Donaldo Colosio. Y un elemento desquiciado, Mario Aburto Martínez, es presentado como el ejecutor solitario. Antonio Lozano Gracia, retirado de la Procuraduría, comentó al respecto:

—Algunos quisieron venderme la idea de que, de tratarse de una conjura, los procedimientos habrían sido más obvios. Por ejemplo, en Lomas Taurinas había suficientes azoteas para que desde éstas actuara un francotirador experto. Pero era precisamente la obviedad lo que, posiblemente, se trataba de evitar.

—En ese sentido, don Antonio, aparece un hilo conductor entre los homicidios de Colosio y Francisco Ruiz Massieu. Camuflajes casi perfectos, ¿no?

—De lo que estoy seguro, Rafael, es de la culpabilidad de Othón Cortés, el segundo disparador, dejado en libertad.

—Ello, abogado, probaría la tesis del complot.

—De un crimen del poder.

Y para que no quedaran cabos sueltos, aparecieron en su oportunidad, convenientemente, los escritos doctrinarios de los "caballeros águilas" para apuntalar el perfil de un pretendido "iluminado", un loco pues, dispuesto a entrar en los anales a balazos. Así, cuando los agentes judiciales —encabezados por Federico Benítez, quien fue asesinado semanas más tarde— abrieron el baúl de Aburto, dos días después del atentado, entre garabatos y burdos dibujos, encontraron algunos textos "comprometedores" según la crónica del cotidiano norteamericano *The Washington Post*:

—Una vieja edición de la Biblia, otra de *El Capital* de Carlos Marx, un ensayo acerca del asesinato del presidente Kennedy en 1963 y un libro de Rafael Loret de Mola.

Material incendiario. Aunque no lo precisó la nota informativa, divulgada por el periódico *El Financiero* de la ciudad de México, la obra de mi autoría debió ser *Presidente Interino* —Grijalbo, 1993—, cuyo desenlace, escrito dos años antes del drama, coincidió con los hechos reseñados: el homicidio del candidato oficial a la presidencia, hermano —en este caso político— del mandatario en funciones.

En la madrugada del 26 de marzo de 1994 —¿alguien pudo dormir bien durante aquellas jornadas terribles?—, un telefonema me sacudió:

—Rafael, ¿no tienes inconveniente para que te entrevistemos?

Eran las seis y media de la mañana, pero el conducto amable me transmitió un saludo cordial del director del noticiario de Radio Fórmula, Carlos Ramos Padilla, viejo compañero de lides informativas. No pude negarme, bostecé y esperé:

—Rafael —disparó a quemarropa, muy en su papel, Carlos Ramos—, ¿qué se siente haber inspirado el crimen contra Colosio?

Me quedé perplejo. No sabía de qué me estaba hablando. Ramos continuó:

—Esta mañana nos llegó la información de que un libro tuyo estaba entre las pertenencias del asesino de Colosio. ¿Nos puedes decir algo?

Traté de recuperarme para hilvanar algunas sílabas. ¡Estaban poniéndome sobre el escenario más explosivo de la segunda mitad del siglo en México!

—Tú me has dicho —le repliqué al conductor radiofónico— que en la mesa de tu recámara has colocado mi *Presidente Interino*. Y no quiero pensar que, por ello, vas a salir a la calle dispuesto a asesinar al presidente Salinas, por ejemplo.

Ramos, inteligente, atajó la pelota, entendió la ironía y fue concluyente:

—Por el momento, ¿no te han llamado a declarar?

—No hay ninguna razón para hacerlo. A menos, claro, que se esté buscando un pretexto, aún sin sustento, para iniciar una redada contra los críticos. No quiero ni pensarlo.

Si tal propósito estuvo en la mente de los estrategas oficiales, en un momento en el que podía haberse agudizado, arguyéndose "razones de seguridad", la persecución contra los informadores, siquiera para amedrentarlos con tal de evitar cualquier contrapeso a la unción del candidato sustituto, aquel telefonema pudo haber sido un factor para detener la marejada incipiente. O, por lo menos, inhibió a los operadores.

Pero, ¿cómo llegó la obra en cuestión a manos de Aburto? Posiblemente, el sujeto asistió a la presentación de la obra en el auditorio de Nuevo Laredo, Tamaulipas, el jueves 23 de septiembre de 1993. Haciendo memoria, recuerdo haber firmado un ejemplar para un joven, de mediana estatura, que sólo me dijo:

—Vengo desde Tijuana. ¿Cuándo nos da una conferencia por allá?

—En cuanto sea posible.

—¿Va a seguir escribiendo otras novelas?

—Ésa es mi intención.

Palabras más o menos, el diálogo fue escueto, sin mayor fundamento. Apenas le vi la cara, interesado en atender a otros amables lectores. Pero me impresionó, y de ahí que lo tuviera presente, el hecho de que hubiera viajado tanto.

En otra difusora, en el contexto dramático de 1994, me preguntaron:

—¿Cumplió usted con su objetivo al publicar este libro que resultó profético?

—No, por desgracia. Hubiese querido que el desenlace jamás se hubiera dado, por ejemplo. Porque escribí para alertar, no para solazarme con el fatalismo. Quizá si Colosio lo hubiese entendido así habría tomado algunas providencias... y estaría vivo.

—¿Leyó Luis Donaldo *Presidente Interino*?

—La única referencia que tengo sobre el particular es que, en febrero de 1994, apenas un mes antes del mitin de Tijuana, Colosio saludó a mi hijo Carlos en Mérida, Yucatán, y le preguntó: "¿Cómo me va en la nueva novela de tu papá? ¿La libro?" Y con él me mandó un mensaje: quería que nos encontráramos. No pudo ser.

También viene a mi mente el debate central sobre la viabilidad de publicar aquel texto polémico. Rogelio Carvajal, entonces director editorial de Grijalbo, sintetizó:

—Sostener que el presidente de la República, a través de todos estos años, ha conservado intacta su capacidad de matar —a su sirvienta, primero, y a su hermano en cuanto a la sangre política derramada al final—, es absolutamente temerario.

Y la obra permaneció en la congeladora durante once meses. Aún asi, fue premonitoria. Porque, de una manera u otra, los Salinas supieron "cazar" a la historia tal y como lo hicieron con la pequeña Manuela una semana antes de la Navidad de 1951. Tengo testimonios gráficos en mi poder: los niños Raúl y Carlos Salinas —de seis y cuatro años de edad—aparecen, en la habitual reconstrucción de hechos y en presencia de varios gendarmes, sosteniendo el rifle de su papá con el que habían disparado a la muchacha jugando a los "indios y vaqueros". Sobra decir cuál era la posición de la infeliz víctima.

Con ellos, un vecino, Gustavo Zapata, de ocho años, fue también protagonista pero no el responsable único como lo pretendió, en trance de entregar la presidencia, el poderoso doctor Salinas acaso para alejar las "malas vibras". El estúpido crimen ocurrió en la casona familiar sita en la calle de Palenque número 425, colonia Narvarte, de la ciudad de México. que después se incendió... como el Palacio de San Lázaro que guardaba, en 1988, la cuestionada paquetería electoral sobre cuyas cenizas se fundamentó la victoria del salinismo.

Cuando se decidió a hablar al respecto, Carlos Salinas mintió:

—Quien accionó el fusil fue Gustavo —Zapata, un apellido siempre presente en el devenir del poderoso clan de Agualeguas—. No lo hice yo ni mi hermano Raúl.

En la demarcación de policía, ubicada en la confluencia de las avenidas Obrero Mundial y Cuauhtémoc —otro nombre omnipresente a través de la existencia del ex mandatario—, los influyentes niños Salinas fueron obligados a mostrar la manera como sucedió el ominoso suceso:

—Usted sabe, patroncito, es pura rutina —le explicaron al molesto Raúl Salinas Lozano, progenitor de los infantiles cazadores.

Y así los fotografiaron: los vástagos de quien luego formaría parte del gabinete de Adolfo Ruiz Cortines, cargaron el arma, apuntaron y se encogieron de hombros.

—¿Así fue como sucedió? —indagó el perito.

—Sí... sí, señor —respondieron los rapazuelos.

Gustavo Zapata, a quien responsabilizaron de la ejecución acaso para fines políticos, no aparece en el reportaje gráfico de *Excélsior*. Por cierto, en los prolegómenos de la sucesión presidencial en 1987, treinta y seis años después de la tragedia de la acribillada servidora doméstica, las hemerotecas, todas las conocidas, fueron saqueadas: las hojas impresas que recogen el relato anterior fueron sustraídas burdamente. Sólo algunas se salvaron, entre ellas una en mi poder.

¡Y todavía hubo algún biógrafo —Tomás Borge— que exaltó la "valentía" del presidente Salinas, cuando aún transitaba por la fase final de su mandato, al ser requerido sobre el "incidente" con una clara venia inductiva! También habló, repito para apuntalar el asombro, de su "ternura".

Si conservaron o no los Salinas la capacidad de matar es cuestión que deben, ahora, dilucidar los jueces. Raúl está en prisión como autor intelectual del crimen contra José Francisco Ruiz Massieu y ha sido implicado en los asesinatos de Colosio y el cardenal Juan Jesús Posadas Ocampo. Y Carlos, protegido por la sagrada impunidad a favor del presidencialismo, viaja y viaja; también grita y grita cuando se siente acosado:

—¿Van a venir por mí? ¿Ya lo ordenó el presidente Zedillo?

Así lo preguntó Carlos Salinas, según me dijo Antonio Lozano Gracia, una y otra vez, desde su refugio en Dublín y cuando las pesquisas contra el "hermano mayor" parecían tocar fondo. Luego la consigna se impuso. Y se hizo el silencio que sólo se rompe cuando conviene a los intereses políticos cupulares. Emocionante, digna "justicia" la nuestra.

—De verdad, licenciado. La vi muy fea. Fueron muchas horas de angustia sin saber a qué atenerme. ¿Ahora qué voy a hacer?

Mónica Gameros Galindo, joven reportera cuya asistencia fue de gran importancia para la elaboración de *Intereses oscuros* —Grijalbo, 1997—, debió cambiar de domicilio y de trabajo ante el temor manifiesto de ser localizada, mientras realizaba sus investigaciones, por los "inexistentes" grupúsculos del ETA, los separatistas vascos afincados en México para sortear la justicia europea. A nuestra mesa de trabajo habían llegado las lastimadas voces de cuantos, vascos también, ya habían sido "tasados" por los terroristas que han dejado un rastro de sangre inocente por toda España.

—No me cite, por favor. Pero yo, como otros comerciantes de la colonia, pagamos una cuota de seguridad.

—Me recuerda a los procedimientos de la mafia. ¿Y cuáles son las condiciones?

—Primero nos hablan para demostrarnos que conocen todo sobre nosotros; luego alguien nos visita y llegamos a un acuerdo. Y debemos desembolsar, claro, si queremos vivir tranquilos... si podemos decirlo así.

—¿Cuántos son los acosados?

—Todos los vascos... y algunos que no lo son, pero cuentan con mucho dinero. Y lo saben allá arriba. Se lo juro.

—¿Lo han comunicado a las autoridades?

—Por supuesto. Lo hicimos desde que estaba Fernando Gutiérrez Barrios en la Secretaría de Gobernación. Él nos escuchó y nos prometió intervenir. Pero no hubo resultados.

(Con Gutiérrez Barrios, tiempo después, hablé sobre el tema, relacionándolo con las acusaciones, en apariencia "filtradas" por Carlos Salinas, en el sentido de que el ex titular de Gobernación y su grupo habían financiado al Ejército Zapatista. Don Fernando me dio su versión:

—Sobre los *etarras* no tengo noticias; ninguna de verdad. Sólo rumores. Lo otro es una infamia. Y se lo reclamé al "licenciado" Salinas cuando tuve oportunidad.

—¿Qué le dijo?

—Que no me preocupara; que eran cosas de la prensa. Él estaba muy influenciado por José María Córdoba Montoya.

—¿Fue como una disculpa, entonces?

—Una explicación superficial, diría.

A la señorita Gameros le indiqué que buscara una confirmación, explicando de qué se trataba.

—¿Va a servir para otra novela? —preguntó el elemento contactado—. Porque puede resultar muy peligroso.

La citaron para el siguiente día. Llegó puntual. Varios sujetos la rodearon y le pidieron que abordara un vehículo. Y sólo uno de ellos habló:

—Sobre lo que quieres nada podemos contarte. Te estás metiendo en camisa de once varas.

—Sólo trato de averiguar si hay extorsiones...

—¡Qué demonios! ¿Y a ti qué te importa?

No la tocaron físicamente. Sólo la amenazaron. Y confirmó la hipótesis:

—Los integrantes de la colonia vasca pagan; y las autoridades no dicen nada. Más bien niegan la presencia de los etarras en México.

—¿Gutiérrez Barrios?

—Él más que nadie.

Dos versiones, de enorme trascendencia, jamás han sido ampliadas por las autoridades mexicanas en torno a la sublevación neozapatista en 1994, a saber:

1. La posibilidad de que parte de los recursos originales que fueron a parar a manos de los guerrilleros, a sabiendas del apretado círculo del poder, se hubiesen canalizado a partir de aportaciones de la extinta empresa Ruta 100, encargada de la transportación urbana en la ciudad de México y privilegiada por el regente Manuel Camacho Solís durante el régimen presidencial de Carlos Salinas. Fue claro que cuando se llegó a este punto no se avanzó un ápice más.

(Camacho Solís niega tal posibilidad e insiste en que los partisanos del EZLN apenas tenían pertrechos cuando sobrevino el estallido y después de éste:

—Había que verlos —me confió—. Estaban en condiciones deplorables.)

2. La presunta vinculación del ETA sobre todo con algunas de las primeras acciones guerrilleras, como el "bombazo" en el estacionamiento de Plaza Universidad, en la ciudad de México, y el atentado contra varias torres de la Comisión Federal de Electricidad. A partir de estos hechos nadie volvió a indagar en la materia.

(Nuestro gobierno rechazó con vehemencia la posible presencia de algunos dirigentes etarras en 1989, al arranque de la administración salinista y con Gutiérrez Barrios instalado en el Palacio de Bucareli, cuando José Manuel Martínez Alconeda, fiscal de la Audiencia Nacional de España, solicitó la extradición de varios cabecillas plenamente ubicados en territorio mexicano. La negativa cesó cuando, en 1998, nueve años más tarde, se produjeron las primeras aprehensiones de algunos de estos terroristas a la par con una campaña muy extensa en los medios electrónicos contra los "extranjeros" que, en apariencia, auxiliaban a los neozapatistas.)

México es el país de los crímenes sueltos, de las pesquisas inconclusas... de las medias mentiras. La "justicia", ya lo hemos dicho, late al ritmo de los intereses cupulares, de la consigna presidencial. Cuando se trata de defenestrar a alguien, banquero o policía, nadie se interpone; y si es menester proteger los más altos enjuagues, ello ocurre con la mayor naturalidad. ¿Quién se atreve a ponerles una mano encima a los juniors y operadores cubiertos con la podredumbre del narcotráfico?

Quizá por ello un episodio de la mayor importancia quedó aislado, perdido entre algunos comentarios editoriales y unas cuantas líneas informativas: el secuestro, en diciembre de 1997, de Fernando Gutiérrez Barrios, quien fuera consejero de Carlos Salinas antes de la asunción de éste a la presidencia y fue llamado para recorrer una ruta similar, bajo las estalactitas del PRI desde luego, al frente de la ampulosa Comisión de Fiscalización durante el sinuoso proceso selectivo del candidato de ese partido a la "primera magistratura".

—Le aseguro que no hay nada —insistió, sin titubeo alguno, el profesor José Luis García Mercado, el más cercano colaborador de don Fernando—. ¿Usted cree que le íbamos a mentir sobre algo tan delicado?

—Pero, maestro, hay evidencias. Incluso es claro que hubo un rescate, de diez millones de pesos, cubierto por Carlos Hank González.

—Eso lo dicen ustedes, los periodistas. Le repito: don Fernando está muy bien y no pasó nada. Estuvo de viaje unos días y nada más.

—¿Por qué no lo desmiente entonces, profesor?

—No conviene. ¿Para qué hacer ruido?

Ni una sola aseveración más agregó al respecto el propio don Fernando a pesar de que uno de sus íntimos amigos aceptó el molesto "incidente". Pero entonces, ¿quiénes perpetraron el secuestro? Las posibilidades pueden encontrarlas, los amables lectores, a lo largo de este capítulo.

Para los entendidos, la reaparición política del veracruzano en junio de 1999 es síntoma de que la ruptura generacional es ineludible.

—La cacería está apenas comenzando.

Quienes saben sólo lo expresan en voz baja.

9. Las cofradías

—¡No sé que voy a hacer! Me trata mal Salinas, me trata mal Colosio... ¡y yo sigo recogiendo papelitos!

Desencajado, ahíto y con los ojos soñolientos, Ernesto Zedillo Ponce de León, coordinador de la campaña priísta en pos de la "primera magistratura" —enero de 1994—, parece desbordado por la orden directa de su jefe, el candidato Luis Donaldo Colosio, en un gris amanecer, como todos, en el Distrito Federal.

—¡Ernesto! —apremia Colosio a su subordinado—. ¿En dónde carajos dejaste el discurso?

Zedillo busca en los ojos del conductor radiofónico José Gutiérrez Vivó, al término de una emisión de *Monitor*, alguna conmiseración. Apurado, revisa el portafolio y las carpetas. Y en todo aquel desorden no aparece el documento requerido. Triste, cabizbajo, asume el fracaso:

—Vamos a ver cómo me va a ir. Es que, ¿sabe usted?, estamos de verdad muy presionados.

—No se aflija, doctor. Las cosas van saliendo bien; la entrevista con el candidato me pareció correcta.

—¡Lástima que no me quiera! ¿Verdad?

Zedillo había llegado al equipo de Colosio por la puerta de atrás: la imposición. Y él lo sabía, situado entre la animosidad de los colosistas químicamente puros y las presiones desde Los Pinos, no sólo las del presidente Carlos Salinas sino, sobre todo, las de Joseph-Marie

Córdoba Montoya, el gran operador de torva mirada y lascivia a flor de piel.

—Colosio —me explica Alfonso Durazo, secretario privado del malogrado aspirante— había pensado en remplazar a Zedillo. Pero, como las relaciones con el presidente Salinas no estaban en su mejor momento, el propósito se fue posponiendo... hasta que llegó el fatídico día del atentado.

Ciertamente, el doctor Salinas tampoco trataba bien, ni siquiera para guardar las formas, a quien había desempeñado la titularidad de la Secretaría de Programación y Presupuesto, hasta la extinción de ésta acaso para borrarla del escenario político y evitar que se convirtiera en una incubadora de presidentes luego de haber sido plataforma de dos mandatarios —el propio Salinas y su antecesor, Miguel de la Madrid—, y la de Educación Pública. Dos carteras dispares que confluyeron hacia el "puente", reforzado con las artes de la manipulación, entre dos administraciones y dos hombres... más bien tres: el presidente en ejercicio y "sus" dos candidatos a sucederlo, el victimado y quien arribó a la silla grande.

Quizá Colosio se sintió atrapado también. Manlio Fabio Beltrones, a la sazón gobernador de Sonora y por ende coterráneo de Luis Donaldo, no necesariamente su amigo dado el desgaste natural de quienes fueron contendientes al interior del PRI, narra un significativo pasaje. Una tarde, en vísperas del esperado "destape", invitó a comer a su encumbrado paisano, en aquel momento al frente de la Secretaría de Desarrollo Social. El sitio escogido fue El Rincón Argentino, sito en la avenida Presidente Masaryk, en la ciudad de México. No hicieron reservaciones.

—¡Qué bárbaro! —exclamó Colosio—, esto está a reventar.

—Permíteme que use las influencias, Luis Donaldo. Que nos sirva de algo.

—Nada de eso, Manlio. Vamos a esperar como todos.

Solícito, como pudo, el administrador del lugar dispuso de una mesa para los altos funcionarios. Pero el ruido y las constantes interrupciones les impidieron dialogar. A la salida, alejados de la presión natural que genera un "casi" precandidato —la "cargada" en posición de arranque—, el gobernador Beltrones deslizó:

—Se dice que Córdoba será muy influyente, más todavía, si llegas a la presidencia, Luis Donaldo.

Colosio apretó el brazo de su paisano, cruzó la calle dando grandes zancadas y, con voz baja pero firme, sentenció:

—Mira, Manlio: si llego a la presidencia, Córdoba no tendrá sitio en mi gabinete. Para acabar pronto: no tendrá, siquiera, un lugar en el país. ¿Te queda claro?

Mientras ello ocurría, la cercanía entre el "doctor" Córdoba y el doctor Zedillo se estrechó; también la recomendación del primero que tanto encelaba al "jefe de las instituciones nacionales":

—Zedillo es un buen funcionario; hay que tenerlo cerca, Carlos.

—¡Ya veremos! —era, por lo general, la seca respuesta del titular del Ejecutivo a quien no le gustaba divagar acerca de su propia sucesión.

Ernesto Zedillo, de acuerdo con el testimonio de cuantos estuvieron cerca, nunca fue tratado como amigo; era un empleado, de elevado rango si se quiere, pero con quien no se extremaban las confianzas. Se le usaba, sí, en función de su formación burocrática de alto rango. Ya en campaña, Colosio no le daba reposo. Una tarde, en el despacho del dueño de una importante estación de radio, se desplomó, literalmente, sobre un sofá mientras aguardaba la llegada de su jefe, el abanderado del PRI:

—¿Fatigado, doctor? —le preguntó el anfitrión.

—Más que eso: estoy deshecho. No me doy abasto. Aquí en confianza: esto de la política no es para mí.

Cuando llegó Colosio, le ordenó:

—¡A despejarse, Ernesto! Tenemos mucho por hacer.

Y el discreto coordinador, arqueando las cejas, bajó la cabeza concediendo.

¿Amigos? Salinas tenía debilidades, claro. Por ejemplo, solía jugar tenis, todas las mañanas, con el inquieto Emilio Gamboa Patrón, único funcionario del régimen que gozaba de un privilegio extremo: contaba con su propio vestidor en las áreas de recreación de Los Pinos.

Gamboa hacía pareja con el "primer mandatario" cuando se trataba de doblegar a otros invitados, excepto cuando aparecía por ahí el nuncio apostólico, Girolamo Prigione; sólo entonces el alto prelado eclesiástico y el huésped pasajero de la casona presidencial hacían mancuerna contra Emilio y, por lo general, uno de los hermanos Rojas Gutiérrez, sea Francisco —quien fue director de Pemex— o Carlos —sucesor de Colosio en la Secretaría de Desarrollo Social y luego enviado, para abrirle sitio a Esteban Moctezuma Barragán, a la Secretaría General del PRI en 1997.

—¡La tenemos imposible! —bromeó Gamboa en alguna ocasión a su compañero de redes—. Imagínate: ¿quién se atreve a ganarle al gobierno y la iglesia juntos?

Por supuesto, la dupla Salinas-Prigione arrolló. Y no sólo sobre la bien cuidada cancha de la residencia de Chapultepec. Superó también a los "jacobinos" reacios a la normalización de relaciones diplomáticas entre el Vaticano y México. De los legisladores del Partido Popular Socialista (PPS), acaso los más enconados adversarios de la reforma al artículo 130 Constitucional —que negaba personalidad jurídica y presencia a las iglesias—, el religioso decía:

—¡Peró si son únicamente siete "gatos" a la luz de la luna maullando para darse importancia!

Desde luego, soltaba la carcajada. Para el nuncio dos figuras familiares fueron especialmente importantes en esa época de cambios convenientemente cocinados: el padre Salinas, tío de Carlos y hermano del progenitor de éste, avecindado en Nuevo León y muy querido por la feligresía; y el suegro del entonces mandatario, don Armando Ocelli, de origen piamontés como Prigione; éste me contó:

—Con don Armando establecimos una especie de duelo. Cuando invité al presidente a la Nunciatura, se hartó de comer *spaghettis*. Y cuando ya no quedaba nada sobre el plato me dijo: "Tiene usted que conocer al padre de mi mujer; le aseguro que no se va a arrepentir". Y, por supuesto, el encuentro se dio. En verdad, tenía una mano espléndida para las pastas.

Las viejas historias de la política. En México suele hablarse de "grupos de poder", de "cotos inexpugnables". Prigione, quien llegó a medir muy bien los alcances de los hombres del sistema, sintetizó un día:

—Los mexicanos son muy especiales. Si reúnes a los enemigos más acérrimos alrededor de una mesa, ¡casi siempre acaban siendo amigos del alma! No hay rencor que prevalezca.

Así es como Luis Echeverría asegura que no controla ni a sus nietos. Y el profesor Carlos Hank González, siempre en la mira por sus excepcionales relaciones dentro y fuera del gobierno —¿quién es el número uno?, se preguntan los agentes de la DEA cuando observan alguna fotografía del insustituible maestro de Tianguistengo—, niega la existencia de los grupos:

—¿Atlacomulco? ¡Es un pueblo al que quiero mucho!

Lo curioso es que, en una intersección de carreteras, la misma flecha apunta hacia el pueblo mencionado y también a Almoloya, convertida en la casa de los reos de alta peligrosidad. Los caminos no se bifurcan.

Francisco Galindo Ochoa, jalisciense con una prolongada carrera al servicio del sistema, rematada como coordinador de relaciones públicas durante el régimen de José López Portillo —1976-1982—, y voz reconocida entre los singulares "dinosaurios" de nuestra vida institucional, los eternos se entiende, me dijo:

—¿Grupos? ¡Qué va! Aquí sólo hay un grupo: el del presidente. Lo demás son sólo *pendejadas*.

—¿Y el profesor Hank con su "grupo Atlacomulco"?

—*Mamadas*. Lo que quiere Carlos es estar tranquilo, que lo dejen en paz. Ni siquiera piensa en estar metiéndose en lo que no le importa.

—¿El PRI no le importa, por ejemplo?

—El PRI nos importa a todos. Y, además, vamos a ganar en el Distrito Federal. Arrollando.

Unas cuantas semanas después de esta conversación amable, en las oficinas de Galindo en el Paseo de la Reforma, el Consejo Político del Institucional, mediante unas turbias elecciones internas —1997—, señaló a Alfredo del Mazo González, mexiquense y por ende afín al "profesor", como el hombre ideal para disputar la jefatura del gobierno defeño. Y perdió de modo tan espectacular como había obtenido la licencia partidista y el aval de Hank González, aglutinador como ninguno.

—Hank —se dijo entonces— pudo más que el presidente.

Pero no en las urnas, desde luego. Luego vinieron las rencillas. Al atardecer de la fatídica jornada electoral para los priístas, el 6 de julio de 1997, el "profesor" llamó a Los Pinos para hacer el último esfuerzo en pro de Alfredo del Mazo:

—¿Vamos a quedarnos con los brazos cruzados?

—Sí, querido profesor —respondió el doctor Zedillo, quien ya había sido felicitado por teléfono, con premura, por su colega estadounidense William Clinton a causa del "acento democrático" exhibido durante el proceso (la versión completa en *El gran simulador* —Grijalbo, 1998).

Nada pudo hacer Del Mazo, como tampoco no fue factible maniobrar en la víspera de la sucesión presidencial diez años antes, en noviembre de 1987, cuando Federico de la Madrid, el poderoso vástago del entonces presidente, intervino con descaro tratando de consolidar un madruguete. Federico telefoneó a Del Mazo:

—¡El "bueno" eres tú, Alfredo! ¡Ya hablé con mi papá!

Pero no. La maniobra fue triangular y hasta figuró en ella un sorprendido Sergio García Ramírez a quien, sin aviso previo, lo convirtieron en fugaz precandidato los simpatizantes del señor Del Mazo interesados en reventar los procedimientos. Unos minutos bastó para poner el orden y lanzar a Carlos Salinas como "el candidato de la unidad". Quien no perdió fue, por supuesto, Carlos Hank González. En los primeros meses de 1987, el año clave, el profesor me confió:

—Ahí mismo, en donde está usted sentado —frente al escritorio del controvertido político en su despacho particular—, estuvo ayer Carlos Salinas. ¡No vaya usted a equivocarse!

—Habla usted como si ya todo estuviera decidido.

—Y lo está. ¿Lo trata usted bien en su próximo libro? (*Denuncia. Presidente sin palabra* —Grijalbo, 1997).

—Como a todos, profesor —ironicé—. ¿Y qué le dijo el secretario Salinas?

—Fue muy gentil. Vino a conversar conmigo, a pedirme una opinión.

—¿Regresa usted al gabinete, maestro Hank?

—No puedo decir que de esta agua no beberé...

Y Hank, desde luego, apareció en sitio relevante: fue nombrado al arribo presidencial de Salinas, secretario de Turismo, primero, y titular de Agricultura y Ganadería, después. Un hombre clave. ¿Del Mazo? Pues... viajó durante el periodo, tratando de encontrarse a sí mismo.

Luego vendría el intento de reivindicación. ¿Falló el grupo o simplemente éste sacrificó a un alfil sin mayor trascendencia? Quien encuentre la respuesta sabrá, a no dudarlo, el secreto de la política mexicana.

Se habla, también, del "grupo Querétaro". No faltaron quienes creyeron, tras el crimen contra Colosio, que el queretano Fernando Ortiz Arana, entonces presidente nacional del PRI, debía ser el candidato natural. La otra carta, la del doctor Zedillo, no concitaba entusiasmo alguno. Pero no resultó. Ortiz Arana fue llevado al liderazgo del Senado de la República y de ahí se proyectó, "palmaditas" de por medio en Los Pinos, hacia la gubernatura de su natal entidad.

—Fue una infamia —cuenta Ortiz Arana a sus íntimos—. Todo estaba preparado para denigrarme.

—¿Por instrucciones de quién?

—El que arregló todo, a favor del PAN, fue Liébano Sáenz. Y si lo menciono a él, es claro que estoy pensando en su jefe, el presidente.

—¿Por qué? ¿Para qué?

—No lo sé. Parece un ajuste de cuentas, ¿no?

O quizá, podemos concluir, para saldar la vieja, oscura historia de Lomas Taurinas en cuyo escenario Liébano Saénz anunció el deceso del candidato y Ortiz Arana sirvió de anfitrión a cuantos expresaron su duelo. ¿Y Zedillo? Arrinconando, en la Agencia Funeraria Gayosso, sin alcanzar a musitar palabra... como si el mundo se le hubiera venido encima. ¿Acaso ignoraba el papel que jugaría? ¿O sufría la primera reacción de su apretado círculo familiar bajo el peso del miedo?

Triunfó, claro, el grupo de Joseph-Marie Córdoba Montoya. ¿Llegaría a saber el "doctor" cuál sería su destino cuando Colosio se cortara el cordón umbilical? Para desgracia de Luis Donaldo, la cirugía fue precipitada, mucho antes de lo esperado. El desenlace también... aunque no pocos sabían que el sonorense no llegaría a buen puerto.

—Todo estaba preparado —relata Antonio Gárate Bustamante, ligado a la DEA estadounidense y al "secuestro" del doctor Humberto Álvarez Machain en Guadalajara y su posterior traslado a la Unión Americana para ser investigado por sus presuntos nexos con el narcotráfico—. A Colosio no lo iban a dejar vivo.

—¿Qué sabían ustedes?

—El complot era un hecho; y el desenlace sería en San Luis Río Colorado. Así se lo comunicamos a las autoridades mexicanas, concretamente al secretario de Gobernación, Jorge Carpizo (1994).

—¿Cuál fue la respuesta?

—Nada más nos escucharon. Pero teníamos datos precisos sobre un posible atentado contra el candidato del PRI. Sólo que ¡se nos adelantaron!

—¿Filtraría alguien la información?

—Es posible. Todavía tratamos de establecerlo.

Gárate, por su cuenta, organizó a un grupo de investigadores para intentar esclarecer el crimen contra Luis Donaldo; se sostiene por suscripción pública pero, hasta la fecha, nada ha aportado.

—Yo no quiero caer en el simplismo de otros que juzgan a Salinas sin comprobarle nada o dicen que los "narcos" son los culpables. Busco pruebas definitorias. Y las obtendré.

Y nada se ha vuelto a saber del señor Gárate quien, habilidoso, tejió una compleja red de comunicación con varios de los analistas mejor informados del país. No todos lo tomaron en serio. Quienes lo hicimos pudimos corroborar que, en más de una ocasión, acertó. Por ejemplo respecto al aviso, muy a tiempo, sobre la emboscada tendida en el norte para acabar con Colosio y su modelo político.

—¡Habría que ver —se exalta Manuel Camacho— en dónde están quienes defienden el proyecto de Luis Donaldo y en dónde están sus detractores! Examina los hechos: adentro del gobierno, del régimen de Zedillo, nadie le ha dado seguimiento a las propuestas de Donaldo, nadie. ¿En qué quedó la reforma integral al poder, por ejemplo? Pues es lo que ahora sostenemos desde afuera.

—Pero tú no fuiste colosista ni nada parecido, Manuel...

—Sólo que Donaldo reconoció mi trabajo el 22 de marzo —1994—, en la víspera del homicidio. ¡Y ahora dicen que Colosio no quería decir lo que dijo! Por favor. Respetemos siquiera un poco su memoria.

Otros piensan diferente. Manlio Fabio Beltrones, por ejemplo, acusado de estar ligado con el narcotráfico en un reportaje del *New York Times*, en el que se señaló también a Jorge Carrillo Olea, ex gobernador de

Morelos muy ligado, afectiva y pecuniariamente con el grupo de Miguel de la Madrid Hurtado y con los Salinas, claro, sostiene:

—Cuando Salinas me dijo, después del atentado en Tijuana, que mandaría a Diego Valadés a investigar, me indigné: "Señor presidente —le dije—, ¿cómo va a encargar del asunto a uno de los principales operadores del sospechoso número uno?"

—¿Te referías a Camacho?

—Pues claro. Valadés y Camacho eran uña y carne. Y Manuel fue, para mí sigue siendo, uno de los presuntos protagonistas del drama. ¿Qué pasó? Pues Valadés ensució todo, permitió la siembra de ojivas, violentó la escena del crimen. ¿Pura casualidad?

Valadés, quien fungía en ese momento álgido como procurador general de la República, desde luego nada aclara. Calla lastimosamente, elude el tema. ¿Y las secuelas del bárbaro crimen? Parecen atrapadas bajo el peso de la cofradía política con mayor resistencia según parece... la de la mano caída.

—Mira, compadre, a nosotros nos han acusado de todo —reclamó, amable, Guillermo Cosío Vidaurri a su entonces jefe, el regente Ramón Aguirre Velázquez, en el cargo de 1982 a 1988—. ¡Hasta de maricones!

Cosío Vidaurri sería encaminado después a la gubernatura de Jalisco, a la que debió renunciar en 1992 tras las explosiones de Guadalajara que sembraron el caos y la muerte con la guadaña de Pemex. En ese entonces fungía como secretario general del Departamento del Distrito Federal. Aguirre, célebre por su sentido del humor y juguetón como pocos, golpeó la mesa, cogió entre sus manos una pequeña copa de coñac y, sonriendo, atajó a su subordinado:

—Por mí no apuestes, compadre. No vaya a ser que te equivoques...

Los comensales, en la residencia de mi inolvidable tío, el ingeniero Carlos Vadillo Martínez, nos quedamos atónitos. Luego, para romper el hielo, estallamos en una larga, artificial carcajada. ¿Fue entonces cuando se agudizó la sentencia? Temo que no.

Dos sexenios atrás, durante el periodo del desatado Luis Echeverría Álvarez, quien presumía de no dormir para exaltar su dinamismo y fortaleza, Carlos Loret de Mola, a la sazón gobernador de Yucatán, me confió preocupado:

—Veo muy cerca a don Luis de dos jóvenes gobernadores: Carlos Armando Biebrich, de Sonora, y David Gustavo Gutiérrez Ruiz, el tabasqueño ese metido en Quintana Roo.

—¿Te refieres a....?

—¡A que son sus debilidades! Punto. Pero prefiero pensar en otra cosa.

En el tramo final de aquel lapso, envuelto el gobierno en la catástrofe devaluatoria que daría inicio a las crisis financieras recurrentes, las respuestas surgieron solas. Carlos Armando, una de las grandes promesas de la política nacional, talentoso y culto, fue arrollado por el sistema, injustamente acusado por un fraude que jamás pudo probarse. Y salió de la gubernatura bajo el peso de un presidencialismo feroz, persecutorio.

—¿Sabes qué me han dicho, Rafael? Algo terrible: cuando Echeverría se enteró de que la esposa de Biebrich estaba preñada montó en cólera y se alejó del joven mandatario. Sonora pagó los platos rotos.

—Pero, Carlos Armando no cojea de ese pie...

—Pudo tratarse, nada más, de una fantasía presidencial.

Lo de David Gustavo fue más serio. Por halagarlo, el "primer mandatario" no tuvo empacho en vulnerar las soberanías de Yucatán y Campeche, incluso pretendiendo arrebatarles una franja de sus territorios, con la viril oposición de los gobernadores de ambas entidades en vías de ser afrentadas, y elevó el territorio quintanarroense a la categoría de "estado soberano" aun cuando no reunía las condiciones de población y autonomía financieras mínimas para ser acreditado como tal (1975).

Y luego Echeverría defendió, apasionado, al inmaduro gobernador, a quien jamás se hizo auditoría alguna a pesar de haber forjado una fortuna al calor del Fondo Nacional de Turismo y su dorada presea de Cancún. Gutiérrez Ruiz es ahora uno de los grandes potentados de Tabasco, al nivel de Carlos Cabal el favorito del salinato, y hasta fue víctima de un secuestro discretamente matizado por los cotidianos. El rescate, por supuesto, sumó varios dígitos a la derecha.

El presidente clamó en Chetumal protegiendo a Gutiérrez Ruiz en la hora última del mandato de éste:

—¡Vamos a arreglar esto —la cuestión de los límites de Yucatán y Campeche mancillados por la prepotencia centralista— civilizadamente! México no está dividido.

Y, en plan de ganar el debate con un gesto histriónico, el primer mandatario selló el pacto abrazando a David Gustavo, larga, cálidamente. Recuerdo la sorna de mi padre cuando, obligado por las circunstancias, aplaudía atestiguando la escena:

—¿Ves? ¡Te lo dije!

A partir de entonces existe dentro del aparato gubernamental una corriente de amplia simpatía a cuantos ofician en la apretada, pero siempre abierta, "cofradía de la mano caída". Tanto que, en un recuento apresurado de los últimos tiempos, registramos, sólo en dos de los cargos más relevantes del gabinete presidencial por su peso específico en las decisiones fundamentales y en el tratamiento de los grandes escándalos criminales, la Secretaría de Gobernación y la Procuraduría General de la República (PGR), a un número importante de dilectos miembros de la, digamos, "hermandad":

—Sólo en los periodos presidenciales de Carlos Salinas y Ernesto Zedillo, siete personajes han pasado por el Palacio de Covián y otros tantos han desempeñado el difícil rol de "abogados de la nación". Tres o cuatro de los titulares de Gobernación, en el lapso descrito, y cuando menos tres de cuantos han pasado por la Procuraduría en el mismo tiempo, cuentan con un generoso historial de cófrades distinguidos. ¿Puras coincidencias?

Y de quienes se salvan también se chismea. Lo interesante de la cuestión estriba en que, si hablamos de "mancuernas", tanto en Bucareli como en la explosiva PGR, cuando los grandes escándalos criminales estallaron, elementos de tal filiación, perfectamente unidos, se encargaron de modificar los escenarios, manosear las versiones, confundir a la opinión pública. Y en cada caso, además, sin que se llegara a conclusiones medianamente razonables. Arguyen, eso sí, que las sospechas son, nada más, "obras" de una prensa "irresponsable".

—Se acusa con frecuencia a los periodistas que hemos aportado cuanto sabemos e investigamos sobre los dramas reseñados —le comenté una tarde a José Antonio González Fernández, en su despacho de la dirección general del ISSSTE —1997—, por haber entorpecido las averiguaciones. ¡Caramba! De no ser por la presión ejercida ¡oficialmente ya se habrían dado sendos carpetazos!

González Fernández, muy serio, colocó la cabeza sobre el anular y el índice, y desvió la mirada, meditó unos segundos y apostilló:

—La verdad va a conocerse. No sé cuándo...

No fue, desde luego, en el trance final de la administración de Ernesto Zedillo. En Hermosillo, la tierra de Luis Donaldo Colosio, un inteligente colega me preguntó en un auditorio casi repleto:

—¿Cuándo sabremos lo qué pasó en Lomas Taurinas?

—Si llega el caso, no será mientras el doctor Zedillo sea presidente de México.

—¿Y eso por qué?

—Luego de ejecutarse un homicidio, cualesquiera que sean las circunstancias, los investigadores comienzan a partir de una interrogante: ¿Quién fue el principal beneficiario? Yo le pregunto a usted, a todos ustedes, ¿quién se benefició más cuando cayó Colosio?

La reacción fue inmediata. Los centenares de asistentes, casi en su totalidad, irrumpieron en un grito:

—¡Zedillo, Zedillo!

Y es que el doctor tímido, arropado por la bendición de José María Córdoba Montoya, se quedó, nada menos, con la presidencia de México. Así fue como, de los 42 vítores enalteciendo el apellido Colosio con los que saludó su nominación como candidato presidencial tres días después del asesinato del sonorense, el mandatario de los damnificados, risueño ante las oleadas de un dudoso humor con el que pretende parecer accesible, pasó al silencio casi total sobre aquella afrenta que nos enardeció a todos. Alguien le habrá convencido de que no le convenía competir, dada su "estatura histórica", con la memoria del ilustre caído.

—¡Qué desaseo, don Fernando! —apunté ante Gutiérrez Barrios tras observar los cambios constantes en el timón de Gobernación, ya en la etapa zedillista—. Van y vienen.

El veracruzano congeló el rostro, como cada vez que se apresta a lanzar una sentencia lapidaria, y recordó:

—Por algo, cuando me separé del cargo, dejé asentado que ya no encajaba en los nuevos tiempos. Quienes leen entre líneas pudieron darse cuenta de ello.

—¿Fue Córdoba Montoya el responsable, don Fernando?

—¿Quién otro? Y Salinas, Rafael, acabó rompiendo las reglas del juego, desmadejando a la política.

—¿Ya no hay remedio?

—Tendrá que hacerse una reforma a fondo, redimensionar la estructura del mando.

—¿La reforma integral al poder que ofreció Colosio?

—Podríamos empezar por ahí.

Los lastres parecen impedirlo. Por ejemplo, el sostenimiento del propio Córdoba Montoya, muy cerca de quien fue su discípulo, el doctor Zedillo, aunque sin cargo conocido, como enlace insustituible entre el régimen de Carlos Salinas y el del propio don Ernesto. Una historia que nos obliga a fijarnos en cuantos han podido mantenerse, más allá del fin inexorable de los sexenios: el citado Gutiérrez Barrios, Carlos Hank González, Emilio Gamboa Patrón, Manuel Bartlett, Víctor Cervera y algunos de los grandes operadores financieros.

Algo nos dice, por ejemplo, el nombre de Guillermo Ortiz Martínez, quien comenzó el periodo zedillista como secretario de Comunicaciones y Transportes, pasó a los veintiocho días del arranque a la titularidad de Hacienda y posteriormente fue designado gobernador del Banco de México en pleno cruce de responsabilidades:

—Él y no otro, fue el amigo más cercano de Córdoba Montoya —me confió un funcionario muy afín ahora a Óscar Espinoza Villarreal y, por ende, muy bien controlado.

—¿Conoces la historia?

—Sí. Ortiz le abrió las puertas de su casa y el primer departamento de Córdoba en México, luego de su arribo en un barco repleto de bailarines, incluyendo uno muy cercano a quien sería "eminencia gris" del salinato, era propiedad de la madre de don Guillermo, en Polanco.

—¿No lo trajo entonces Salinas?

—Quizá llegó con su aval... pero Guillermo Ortiz fue el primero en protegerlo, en cultivar su afecto. Fueron, son inseparables.

Cervera, Bartlett, Gamboa, lograron consolidar ambiciones y posiciones, si bien los dos primeros ya tenían recorrido, durante el periodo delamadridiano —1982-1988—, una época en el que las chispeantes anécdotas, las más silenciadas, dibujaron el nivel de descomposición de la estructura del mando. Las formas se perdieron, la compostura también.

Célebre fue aquel encuentro en la playa, en el "Rincón de Guayabitos", cuando la comitiva presidencial, con buena parte del gabinete presente y un eufórico Miguel de la Madrid, pasó por encima de apariencias y protocolos.

—Que dice el señor —comunicaron a los meseros contratados para el evento— que se vayan. Quieren estar solos.

Los únicos testigos, claro, fueron los infaltables elementos del Estado Mayor Presidencial aunque algunos servidores, los más lentos, alcanzaron a observar, de lejos y de reojo, las dimensiones del festín:

—Gritaban de *a madres* —platicó uno de los camareros retirados por instrucciones superiores y generosamente compensados—. Yo los vi bailar.

—¿Cuándo aparecieron las muchachas?

—¡No, hombre! ¡Entre ellos mismos!

—¿Y el presidente?

—Ahí estaba, claro. Y no fue esa la primera vez. ¡Qué va!

Eduardo Pesqueira, el gordinflón secretario de Agricultura entonces, fue siempre el blanco de las mayores bufonadas. El señor De la Madrid, cuando estaba más entusiasmado, casi le exigía que se subiera a las mesas:

—¡Que baile "Pescuezo"! ¡Que baile "Pescuezo"! —tal era el apodo del ministro, tal el grito estentóreo de los festejantes.

Y aquella mole humana, sin detenerse, subía por encima de sillas y cabezas y movía las caderas, el esqueleto, aplastado por kilos y kilos de grasa, todo cuanto podía. Hasta que las tablas cedían.

Pero "el gordo" Pesqueira cometió una equivocación que le privó de continuar con su ascendente "carrera" burocrática. Una noche, al calor de los cantos del juglar del grupo, el regente Ramón Aguirre, y embriagado por los humos y olores del "XO" añejado, don Eduardo hizo blanco de sus bromas al secretario de Programación y Presupuesto, Carlos Salinas de Gortari.

—¡Vente para acá, *pinche* pelón! —ordenó Pesqueira al tiempo de que el presidente no cesaba de carcajearse—. Te voy a poner guapo.

Quién sabe de dónde —aunque algunos suponen que el ministro llevaba siempre consigo un peculiar guardarropa para estar a tono en todo momento—, aireó una rubia peluca femenina y la colocó sobre la incipiente calva de quien llegaría, por méritos propios, a la ansiada presidencia de la República.

—¡Ahora sí te ves muy bonito! —concluyó Pesqueira al tiempo de estampar un sonoro ósculo en la mejilla de la "víctima".

La fiesta terminó, no así la proyección idílica del grupo. Ya en funciones de presidente, Carlos Salinas recibió a los familiares del licenciado De la Madrid Hurtado:

—Por favor, Carlos, haz algo. Ya no lo aguantamos. Bebe mucho y se pone muy impertinente.

Y el ciclo se cerró. Don Miguel, a quien tantos favores debía su sucesor en la silla grande, fue llevado a la dirección del Fondo de Cultura Económica. Yo no sé por qué los políticos son tan propensos a integrarse a las casas editoriales. También Adriana Salinas, la "niña bonita" del clan, le entró al negocio de la letra impresa y no ganó pocos dividendos con su "Azabache". Dicen que a esto, en sociología, se le llama *status reflejo*.

Otras promesas no las cumpliría el señor Salinas. Por ejemplo, al maestro José Pagés Llergo, cuya memoria guardamos todos cuantos tuvimos el honor de traspasar el umbral de su afecto, periodista non, siempre valiente, le ofreció que corregiría algunas "desviaciones" observadas durante su campaña por la presidencia. Cuando el candidato Salinas visitó a Pagés, ya muy enfermo éste y pegado al odioso tanque de oxígeno, el periodista le gritó desde la alcoba:

—¡No quiero verlo! ¡No quiero ver a ningún marica en mi casa!

Y es que, días atrás, un incidente de poca varonía había dado el perfil de algunos de sus colaboradores, específicamente de Otto Granados Roldán, coordinador de prensa luego lanzado al gobierno de Aguascalientes.

—¡Don José! —se defendió Salinas—, recuerde que yo voy a ser el presidente de México.

Tranquilizado, Pagés Llergo aceptó el encuentro y escuchó al aspirante priísta:

—Todo esto va a cambiar. El señor Granados ya no será más mi colaborador. Le doy mi palabra.

No fue así. Nadie tuvo más fuerza y cercanía con el doctor Salinas que el joven Otto, quien cubrió las antesalas de Los Pinos con una legión de muchachitos amanerados. Tanto fue el afecto que ganó una gubernatura y se enriqueció en ésta. Una buena compensación para una larga, muy larga carrera por los veneros del periodismo mercenario. Recuerdo cuando, usando la tribuna del semanario *Proceso*, irrumpió en feroces críticas contra el autor de *Confesiones de un gobernador* —Grijalbo, 1978— por pretender exhibir los vicios del sistema. Claro, después Granados sería un gran beneficiario de la podredumbre institucionalizada.

La cofradía se mantiene. No hay sitio, a lo largo de la geografía patria, en donde no se cuenten encuentros singulares bajo la óptica de las preferencias íntimas incontrolables. En Saltillo, Coahuila, un locutor de radio, todavía furioso, apenas toqué el tema, explotó:

—¡Si yo le dijera cuánto padecí durante la administración de Elisea —así, en femenino— Mendoza Berrueto! No me mataron porque Dios es grande.

Y en Toluca, Estado de México, nadie duda sobre cuál es el hilo conductor del continuismo:

—César Camacho Quiroz —quien sustituyó en la gubernatura a Emilio Chuayffet Chemor cuando éste fue requerido como ministro de Gobernación por el doctor Zedillo Ponce de León— siempre fue el favorito de su jefe, don Emilio. Se quieren bien, ¿me entiende?

Y los rumores alcanzan al nuevo adalid, Arturo Montiel, cuyo paso por el PRI estatal concitó sospechas lo mismo que su asunción espectacular al gobierno mexiquense tras unos comicios impregnados de irregularidades y gracias a la pulverización de la disidencia... la vieja fórmula de don Jesús Reyes Heroles, el estratega genial, de quien se dice discípulo, sólo en el terreno político, Chuayffet Chemor. ¿Casualidades?

Presidentes, secretarios, gobernadores. La cofradía de la mano caída, sin duda, ha modificado el derrotero histórico del país.

—¿Eres homofóbico? —me interroga un querido amigo.

—No señalo a los homosexuales por el hecho de serlo, como tampoco condenaría a los heterosexuales. Acuso a las mafias, a cuantos hacen de las debilidades íntimas un pretexto para escalar posiciones, a los que reclutan jovencitos, a los que convierten los asaltos políticos en pretexto para medir las ambiciones en los lechos de los poderosos.

—¿Te molesta que los homosexuales tengan poder?

—Me angustia el amafiamiento. Lo mismo cuando un presidente trastoca las reglas y eleva a un ministerio, como ya ocurrió, a su amante, que cuando el rastro de muchachitos atildados, tontos pero útiles en ciertos territorios, desplazan a los verdaderos políticos. Eso me repugna.

La historia de las cofradías no termina en este punto. Por eso, amables lectores, pese a las emboscadas, enuncio las "proezas"... cuando quizá todavía es tiempo.

¡No vaya a resultar que ser miembro de la "cofradía de la mano caída" comience a ser obligatorio! Tal era la preocupación del inolvidable maestro Renato Leduc, quien me la transmitió en la víspera de su partida definitiva. Desde la cúpula misma, recién me llegó una sentencia:

—Como están las cosas, ¡sobrarán los candidatos!

10. Hijos de perra

—Los días más felices para mí... ¡son cuando no salen los periódicos! ¡Los aborrezco!

Gustavo Díaz Ordaz, presidente de México de 1964 a 1970, de corte autoritario según su estereotipo y con gran agilidad mental —de él se decía que cerebralmente iba adelante de sus propias decisiones—, despreciaba a la prensa, acaso porque, aun en el apretado espacio al que se reducía a la crítica bajo el control de los censores, significaba el único contrapeso posible.

El presidencialismo mítico, casi omnímodo y pretendidamente simbólico por aglutinar a los mexicanos de acuerdo con la hipótesis de los de arriba, no tiene límites en el campo de la administración pública en México. Ningún otro sistema prevaleciente, no digamos las monarquías europeas que confluyen hacia el parlamentarismo, concentra tanto mando en torno a la figura de un solo hombre, de una suprema voluntad gobernante.

De esta realidad surgen los vicios. Don Adolfo Ruiz Cortines, al frente del Poder Ejecutivo de 1952 a 1958, solía repetir a cuantos le escuchaban:

—¿Caciques? Bueno, sí. Como Gonzalo Santos —señor de vidas y haciendas en La Huasteca—, que me presenta problemas resueltos. ¡Eso espero de mis colaboradores!

El pasado. Una noche, por los caminos de San Luis Potosí, Santos, llamado por todos "el Alazán Tostado", comentó a su célebre pistolero "Mano Negra", así sin nombre ni apellido:

—Oye, veo una crucecita al pie del camino. ¿Es nuestra?

—No, patroncito. Ningún muertito a menos de 500 metros de la carretera es nuestro. ¡Nosotros sabemos hacer bien los trabajitos!

Y en esa misma jornada, el poderoso señor escuchó el reclamo de un servidor humilde, valiente:

—Por favor, patroncito. Necesitamos que nos pague un poco más. No nos alcanza, se lo juro.

Santos miró complaciente al peticionario y, de reojo, a su matón de cabecera. La orden fue terrible:

"¡Mano Negra! Dale su aguinaldo a este infeliz..."

Minutos más tarde se escuchó, como si se tratara de petardos festivos, el eco de dos disparos. Problemas resueltos.

El presente. Del otro lado de la línea telefónica, dos agentes de la DEA, Héctor Berreyes y Antonio Gárate. Cada uno en una extensión.

—Los grandes se reunieron para saber qué hacer con usted, Rafael. Eran cinco. Los muy poderosos, ¿entiende?

—¿El "preciso" —esto es, el presidente— estaba entre ellos?

—Quizá sí, quizá no. Tenemos una cinta. Y se escucha muy claro que están hablando de usted. Y se preguntan: "¿Lo matamos? ¿No lo matamos?"

—No es muy feliz la perspectiva.

—Pensaron en todo. Uno propuso ofrecerle dinero y se descartó porque le conocen bien; otro, que le dieran una *madriza* a fondo como escarmiento... pero luego usted podría denunciarlos; y cuando se habló de la solución final temieron convertirlo en un mártir.

—Entonces, ¿me la perdonaron?

—Van a dejarlo solo. Que nadie hable de usted ni lo secunde. Que sus libros pasen desapercibidos... hasta donde sea posible. Cansarlo, meterse con su familia, destruirlo moralmente. Se lo avisamos, Rafael, para que tome sus precauciones.

Y no fue hace mucho: corría el régimen de Carlos Salinas de Gortari, implacable en el cenit de su poder. Y tocábamos con la mano 1994, al año trágico. Tiempo atrás, casi al finalizar el periodo de Miguel de la Madrid —1982-1988—, Arturo Morales Portas, uno de los auxiliares de Emilio Gamboa Patrón, poderoso señor entonces en su condición de secretario privado, muy privado, del "señor presidente", me envió un mensaje a través del más cercano de mis amigos:

—Dile a Rafael que se está cerrando todas las puertas. Van a dejarlo solo, gritando en el desierto.

Al correr de los meses aquel mensajero también se alejó. Y el apretado grupo de privilegiados que han usufructuado el poder desde la entronización de la "tecnopolítica" continúan bebiendo de la contaminada fuente del presupuesto sin alterarse siquiera. Dicen que han hecho carrera. ¿A qué costo?

El momento clave para Víctor Cervera Pacheco, quien no terminó la preparatoria —de acuerdo con su expediente escolar nunca aprobó dos materias claves: Historia de México e Historia de Yucatán y esto no es broma—, diferencia notable con los niños de Harvard y Yale que usufructúan el poder, se dio cuando, en las lides pandilleriles y en su condición de "porro" sobresaliente —hay abundantes testimonios de sus hazañas—, conoció al proxeneta yucateco Lorenzo Piña Cuevas, entonces con cierta influencia en el gobierno y quien llegó incluso a ser secretario del gobernador Agustín Franco Aguilar (1958-1964):

—¿Te interesa la política, *chavito*? Yo voy a enseñarte el camino.

Y se lo enseñó, desde luego. Cervera, llamado "el balo", como decir "el naco" —ahora hay quienes agregan tan solo una consonante para actualizar el apodo: "el narco"—, fue compañero inseparable del sujeto cuya mayor presea consistía en alcoholizar a los campesinos para luego utilizarlos como carne de mítines. Víctor llegó así, de la mano de Piña, a su primera diputación local. Y ya no se detuvo, medrando y agitando, hasta que cruzó el umbral del Palacio de Gobierno de Yucatán tras la caída, por él provocada claro, del general Graciliano Alpuche Pinzón, un mílite desarraigado quien sólo pudo sostenerse dos años al frente de la gubernatura.

Cuando Cervera entró a la sede del Ejecutivo para cubrir su primer interinato —febrero de 1984—, el avejentado y vicioso Piña Cuevas. ya muy enfermo, lo esperó a las puertas del Palacio. Y al verlo llegar. sin contenerse, le gritó:

—¿Ya te olvidaste de mí? Pues yo no.

Cervera detuvo su apresurado andar, sorprendido, mientras su antiguo mecenas continuó gritando ante el azoro de todos:

—¡Pues yo te conozco muy bien! ¡Conozco muy bien tu cosita...!

El flamante mandatario, avalado por el centralismo y por Miguel de la Madrid, quien aseveraba despreciarlo hasta que cambió de opinión acaso por la insistencia y fogosidad del supuesto "líder campesino", no soportó más, apretó la mandíbula y, apresurado, comenzó a alejarse. Pero no pudo evitar escuchar el remate terrible del enfebrecido sujeto:

—¡Tú eres Víctor, Victoria! ¿No te acuerdas?

Piña Cuevas fue sacado en vilo del lugar. Meses más tarde, abandonado por todos cuantos habían desfilado ante él en busca de un padrinazgo, quedó en estado vegetativo. Alguien se lo comunicó al gobernador Cervera, tratando de encontrar en él algún rasgo de conmiseración:

—¡Fue tu amigo, Víctor!

—¿Ese? ¡Que se pudra!

Y se pudrió, desde luego. Murió deshecho, convertido en un guiñapo humano, solo y sin asistencia médica de ningún tipo. Víctor, mientras tanto, el "niño" que con tanta ambición se le acercó para usarlo como peldaño, comenzó a labrar su larga estadía como gobernador: reelecto dos veces, la primera por una segunda designación del Congreso local al extinguirse la primera licencia del defenestrado general Alpuche y después gracias a la generosidad de su amigo, estrecho amigo, Ernesto Zedillo, es el primer mexicano que gobierna por más de seis años desde el porfiriato.

Abandonos, secuelas de traumas infantiles, valores trastocados y una profunda, ilimitada ambición, han formado a buena parte de los políticos mexicanos. La historia de Carlos Salinas es buena prueba de ello.

—Los Salinas —recuerda Ricardo Canavati Tafich, uno de los más cercanos amigos de Raúl, el primogénito, hasta que éste, según dice, perdió el control— no fueron nunca motivados por la figura paterna. Querían al viejo, sí, pero no lo tomaban en cuenta. Los abandonos constantes de éste, sus infidelidades frecuentes y sus entradas y salidas al hogar mancillado, obligaron a los muchachos a refugiarse en su madre, doña Margarita. Ella era quien los controlaba.

El rastro de sangre comenzó a fluir pronto. El drama de Manuela, la sirvientita "cazada" por los infantiles vaqueros Raúl y Carlos Salinas, los marcó bajo las reglas de la impunidad: sucediera lo que fuese, la ley nunca estaría por encima de sus ambiciones y sueños. Los padres de los pequeños "infractores" ni siquiera se conmovieron gran cosa. Veamos:

1. El vecinito que participó con los niños Salinas en el crimen alevoso, Gustavo Zapata, fue llevado, pocos días después de la tragedia, a otra ciudad. Sus progenitores decidieron que la cercanía con la escena del crimen, al lado mismo de donde vivían, esto es la residencia del matrimonio Salinas-De Gortari, podría dañarlo de modo irreversible.

2. Los Salinas no se preocuparon gran cosa por ello y continuaron ocupando la casa de la colonia Narvarte, en la ciudad de México, que sirvió de marco a la perversa persecución de "la indita". Hasta que el inmueble ardió tiempo después.

3. Si un comercial de televisión, aquel de "Pancho Pantera" lanzando tiros hacia las cámaras —"¡más vitaminas, más minerales, más proteínas!"—, inspiró a los angelicales chiquillos que querían probar la potencia y alcance de los aguerridos conquistadores del Oeste, otro anuncio, el de un caramelo muy popular a finales de la década de los sesentas, "los toficos", sirvió para identificar al grupo de jóvenes ambiciosos que siempre aparecían juntos: Carlos Salinas, Manuel Camacho Solís, hijo de un médico militar asesinado, y Emilio Lozoya Thalman. El apelativo tenía una razón de ser: como el codiciado dulce, los muchachos eran "muy ricos".

4. Ni Raúl ni Carlitos Salinas recibieron tratamiento médico adecuado. Y no se sabe que la familia, tan nacionalista y consciente, haya indemnizado siquiera a los familiares de la púber servidora doméstica que tuvo la mala fortuna de atravesarse en el camino de quien estaba siendo formado para ser el gran monarca, digo el presidente, de "todos los mexicanos".

Por Tabasco se incubó otro drama... para México. Década de los cincuentas también. El gobernador Manuel Bartlett Bautista no sabe qué hacer. Unos jóvenes estudiantes, soliviantados por sus adversarios, paralizan la ciudad de Villahermosa para exigir privilegios en el uso de los transportes. La urbe se desquicia y el mandatario huye:

—Se fue vestido de mujer —me cuenta un viejo lugareño—. No era la primera vez que lo hacía. Era muy conocido por estas manías.

En la ciudad de México, a donde llegaron el gobernador y los representantes de los otros poderes de la entidad, el mando centralista sentencia: todos abandonan sus cargos sin regresar siquiera al terruño. Bartlett Bautista, de quien no puede decirse que hubiese hecho un mal papel como político, salió de la vida pública infamado, víctima de la mordacidad mayor de cuantas puedan concebirse. Y su vástago, Manuel Bartlett Díaz, grabó en su memoria aquel pasaje humillante; tanto que, años después, acaso para contrarrestar la tremenda herida espiritual, habría de convertirse en el perfil vivo del autoritarismo.

—En México —solía repetir Bartlett Díaz cuando despachaba en el Palacio de Covián—, primero es el hecho y después el derecho.

Con tal premisa como norma rectora de su existencia pública, consolidó el mandato del peculiar Miguel de la Madrid, orientando a Federico, el vástago de éste, hacia la redituable empresa de la mafia, y silenciando definitivamente a medio centenar de periodistas. La lista comenzó con Manuel Buendía Tellezgirón, autor de "Red Privada", la columna que estaba a punto de incluir el nombre del secretario de Gobernación como el más elevado de los sospechosos en la órbita del narcotráfico, y luego ya no tuvo final.

Recuerdo al sujeto, mandíbula en ristre y con su actitud de prepotencia rancia, en la cabecera de la mesa del Salón Verde, contiguo a su despacho como titular de Gobernación, tratando de intimidarme la tarde del miércoles 12 de febrero de 1986:

—Pero, Rafael, sus dudas me llevan a pensar que usted tiene en mente la posibilidad de que se haya ejecutado un crimen contra su padre. ¿De verdad lo cree?

No pude contenerme más. Ni siquiera había tenido oportunidad de velar el cadáver de Carlos Loret de Mola. Luego de recibirlo en el Hangar de la Procuraduría General de la República, en el día más negro de mi existencia, Jorge Carrillo Olea, entonces subsecretario de Gobernación, me avisó por teléfono que el "señor secretario" quería verme, reunirse de inmediato conmigo. Y no pude acompañar al cuerpo del gran periodista con destino al Panteón de Dolores en donde fue incinerado.

Conmigo, mi hermano Alberto y Carlos Capetillo Campos. En el sobrio edificio de Bucareli estaba Bartlett con toda su prepotencia. Le escuché y le respondí:

—¡Señor Bartlett! —exclamé golpeando la sólida mesa del recinto invulnerable—. Si ninguno de nosotros creyera posible la versión de un homicidio, ¿qué razón existe para estar aquí rodeados, nada menos, del titular de Gobernación, su subsecretario, el procurador del estado de Guerrero —en donde ocurrió el drama—, los peritos criminalistas y el jefe de Averiguaciones Previas?

Bartlett se levantó, furioso. Y nos dejó a todos los convocados deliberando poco más de una hora durante la cual, con croquis y múltiples documentos elaborados a la carrera, se insistía tercamente en la tesis de un desafortunado, infeliz "accidente"; se trataba, claro, de que aceptara la única salida posible: la muerte de mi padre, por muy extraña que resultara, como consecuencia de una imprudencia. Cuando la reunión terminó, Bartlett reapareció para despedirse:

—¿Se va usted tranquilo, Rafael?

—No, señor. Hay muchos puntos oscuros todavía.

—Trataremos de que usted no se quede con ninguna duda.

Por la noche, cuando al fin pude refugiarme en la capilla ardiente, Julio Pérez Benítez, mi amigo, me telefoneó:

—¿Viste *24 Horas*?

—No. Ni siquiera sé si hay un televisor por aquí.

—Bueno... pues Jacobo Zabludovsky acaba de dar la noticia de que tú y toda la familia Loret de Mola han llegado a la conclusión de que don Carlos murió en un simple accidente de carretera.

—¡Eso nunca lo acepté!

—Porque lo sé, te llamo. Creo que es necesario aclararlo.

Y lo intenté, desde luego. Primero, las líneas de la emisora de televisión estaban ocupadas; después, el destacado comunicador que había compartido con mi padre algunas andanzas reporteriles, no tomó el auricular. Era aquel, lo entendí así, el anuncio inexorable de que, por órdenes de muy arriba, "el caso" estaba cerrado.

Tampoco Bartlett jamás fue citado a declarar como parte de las investigaciones del homicidio de Buendía aunque fue mencionado, nada menos, en la declaración ministerial de José Antonio Zorrilla Pérez, mediante un señalamiento directo:

—Yo sólo cumplí órdenes superiores, instrucciones del secretario de Gobernación —enfatizó el entonces indiciado con quien pretendió concluirse el rubro de la autoría intelectual.

Por supuesto, con el signo de la impunidad, la matazón de periodistas continuó bajo dos líneas generales: de acuerdo con las versiones oficiales, los colegas silenciados cayeron por sus propios excesos —el alcohol, las faldas y hasta la presunta homosexualidad de algunos de acuerdo con lo que dicen los expedientes—, o bien los crímenes no tuvieron relación con la actividad que ejercían éstos. Las víctimas, por obra y gracia del singular sistema nuestro, con Bartlett como director de orquesta, se convirtieron en victimarios, en la imagen viva de los vicios a desterrar. No se ha dado infamia mayor.

Tabasco otra vez. Y otra vez un precandidato presidencial. ¿Me perdonaría Roberto Madrazo Pintado cuando aseveré, en ocasión del último informe de gobierno de Miguel de la Madrid —1988—, que había "madurado" cuando le escuché corear ¡México, México! para acallar las protestas de una oposición afrentada por el fraude electoral? Dos décadas atrás, en los corredores del Centro Universitario México, ubicado en la calle de Concepción Béistegui en la capital del país, Roberto, compañero del inolvidable "salón de abogados", me dijo:

—Mis padres —el ilustre ex gobernador tabasqueño y ex presidente del PRI, don Carlos Alberto Madrazo, y su compañera— fueron víctimas de un sabotaje, de un acto autoritario. Lo del "avionazo" en Monterrey fue un crimen. ¿Cómo voy a creer en el sistema?

Dolido explicablemente, huérfano prematuro por causas jamás aclaradas a fondo —lo único recurrente en el notable ejercicio de la justicia mexicana—, mostraba su rencor contra el presidente Gustavo Díaz Ordaz e incluso contra el PRI.

—Una vez me dijeron —comentó—, que con el paso del tiempo voy a asimilar las cosas y a madurar. Pero, ¡no quiero!

En aquella jornada de 1988, cuando a gritos se "legitimó" la mayor usurpación política de la segunda mitad del siglo XX en México,

Roberto, legislador por segunda vez luego de un largo ostracismo al que fue condenado por oponerse a una iniciativa presidencial en 1976 para dotar de guardia vitalicia a los ex secretarios de la Defensa Nacional y de Marina, dio el paso decisivo. Maduró. Y así lo escribí en las páginas del semanario *Siempre!*, la casa nuestra durante tantos años cuando el jefe José Pagés Llergo, otro tabasqueño ilustre, con los pies puestos sobre el escritorio, gobernaba sobre la información.

La ruta de Roberto Madrazo no fue nada tersa. Matrimoniado tres veces, hipersensible a la crítica, creyéndose siempre un predestinado por herencia y vocación, consolidó alianzas hasta recobrar el impulso definitivo para aspirar a las mayores alturas. Pocos saben, por ejemplo, un episodio sintomático: el romance último, quizá el más acertado, con la distinguida dama que ahora le acompaña, Isabel de la Parra.

—El profesor Carlos Hank —me explica un amigo mutuo— siempre se lo agradecerá.

—¿Por qué? —pregunté, intrigado, cuando percibí estar cerca de una revelación.

—Su señora actual fue novia del hijo del maestro... de ese inquieto muchacho que murió en Cozumel buceando. Fue una pérdida muy dolorosa para don Carlos, para todos los suyos.

—Sí, lo recuerdo bien. ¿Y qué con eso?

—Roberto se casó estando la señora preñada. ¿Me entiendes? Es padre, no biológico desde luego, del nieto del profesor Carlos Hank.

Cuando se trata de la sucesión presidencial todo se vale. Nada detiene, ni siquiera el miedo al ridículo, a cuantos se sienten protagonistas. Por ejemplo, en trance de ascender en la escala de valores, Jesús Silva Herzog Reyes, secretario de Hacienda cuando se produjo el mayor saqueo de divisas de nuestra historia —1982—, solícito, buscó el calor del grupo de Miguel de la Madrid, incluido el vástago de éste, Federico, presuntamente vinculado con la peor mafia de nuestro tiempo. Y con ellos, algunos miembros de la cúpula empresarial, con el ya anciano Juan Sánchez Navarro a la cabeza, baza durante muchos años de los financieros mexicanos, para lanzarse al abordaje de la jefatura del gobierno del Distrito Federal. El PRI por prenda.

En mayo de 1991, cuando se desempeñaba como embajador de México en España, Silva Herzog no dudó un instante cuando recordó los términos de su salida de Hacienda en 1987:

—Ni hablar —me dijo—, De la Madrid creyó en el proyecto de Carlos Salinas y no en el mío. Salinas —en funciones de secretario de Programación y Presupuesto— quería la desincorporación total de las empresas del Estado; yo no.

—Y lo mandaron fuera, don Jesús.

—Aquí estoy muy a gusto. No llegué a la presidencia en 1988 pero, en cambio, puedo aspirar, algún día, al gobierno... de San Luis Potosí.

No se le hizo tampoco. Ni logró que entre los contertulios citados por Federico de la Madrid se encontrara, a pesar de haber sido convocado, Carlos Hank González, el más poderoso de los políticos-empresarios... hasta donde puede saberse. Le quedó claro, eso sí, que para ser rehabilitado los amarres, ex presidentes y padrinos de por medio, son imprescindibles. Se gane o se pierda, es menester permanecer a la sombra, curiosamente, de los personajes más vigilados, desde afuera claro.

¿Es éste el escenario de un narco-Estado? ¿Queda alguna duda? Porque tampoco puede soslayarse que, tras su salida ominosa de la gubernatura de Morelos en 1998, Jorge Carrillo Olea se dejó ver, muy quitado de la pena, al lado de Miguel de la Madrid y de Mario Ramón Beteta, ex gobernador del Estado de México —sobra explicar su filiación mayor— y enlace financiero entre los regímenes de Luis Echeverría y José López Portillo, precisamente el lapso del primer quebranto severo de nuestra economía —1976— a partir de la entronización del populismo. El poder de Carrillo Olea en su entidad fue tan grande que pudo, incluso, cobijar las tropelías de su hijo:

—Un día apareció por ahí —relata un periodista local, de Cuernavaca— el cadáver de una jovencita en una tina de baño. Todo apuntó hacia el "junior". Lo sabíamos de sobra. El asesinato continúa impune.

Resultó evidente la capacidad de Carrillo Olea por brindar facilidades y grandes espacios, en distintos feudos morelenses, hospitalario como es, lo mismo a las huestes de Amado Carrillo Fuentes, "el Señor de los

Cielos", que a los ex presidentes Luis Echeverría, quien tiene en Cuernavaca un latifundio urbano conocido como "Los Laureles" acaso reminiscencia de "Los Pinos", Miguel de la Madrid y Carlos Salinas, éste apropiado, a mansalva, de extensos terrenos ejidales en Ticumán con toda la fuerza del influyentismo bajo el signo de la impunidad. ¿Pura casualidad?

—¿Por qué no dialoga con nosotros, señor gobernador? —le recriminaron en sus días de mayor gloria a Carrillo Olea los informadores.

—No quiero perder el tiempo con ustedes —respondió—. Cuando me place hablar con periodistas, verdaderos periodistas, viajo a la ciudad de México para encontrarme con Julio Scherer —entonces director del semanario *Proceso* y suegro, por cierto, de Diódoro Carrasco Altamirano, sustituto en la Secretaría de Gobernación de Francisco Labastida Ochoa—, o con Regino Díaz Redondo. ¡Ellos sí saben de estas cosas, no los peladitos como ustedes!

¿A quién puede extrañarle, entonces, que Carrillo Olea fuese sorprendido en plena sobremesa, nada menos que en la lujosa Hacienda de Los Morales en la ciudad capital, compartiendo el pan y la sal con De la Madrid, el "gris" engendrador de la hornada de niños de Harvard y Yale llamados a "redimir" a México convirtiéndolo en una estrella más... de la bandera estadounidense? Ni siquiera porque en esos días, apenas unas semanas después de su caída, el Congreso local buscaba al ex mandatario, sin hallarlo, para extenderle citatorio formal. Ni un ruido más se sumó al escándalo. ¿Alegamos ceguera oficial?

Por cierto, fue Jorge Carrillo Olea, en su condición de subsecretario de Gobernación —1986—, quien descubrió, durante una comida en mi casa familiar de Anaxágoras, en la Colonia del Valle al sur de la macrópolis mexicana, la intención de varios políticos, entre quienes se encontraba mi padre asesinado dos semanas más tarde, amén de Joaquín Hernández Galicia "La Quina" y posiblemente Javier García Paniagua, ex jerarca priísta con gran peso dentro de las filas del Ejército, de exigirle al entonces presidente de la Madrid una inmediata rectificación a sus políticas, sobre todo en el rubro social:

—Te noto muy inquieto, Carlos —se dirigió a mi padre.

—Pues, sí. No me gusta lo que está pasando. Es necesario hablar con el presidente, reunirnos, tratar de evitar una catástrofe.

Una indiscreción, de alguno de los presuntos interesados, complementó la información que, por cierto, extremó su gravedad al enterarse Carrillo Olea de una singular posición periodística:

—Pero, Carlos, ¿también escribes los editoriales de *Por Esto!?* —en aquel momento un semanario combativo que había denunciado la infiltración del narcotráfico en la estructura delamadridiana, no el remedo de cotidiano mercenario que pasea su pobreza ideológica por las calles de Mérida hoy en día—. Tenemos entonces que con tu pluma se cubren los editoriales, nada menos, de *Excélsior*, tres veces a la semana, *Siempre!* y también *Impacto* —éste en plena campaña, en aquellas jornadas, contra Manuel Bartlett, señor de Bucareli.

—Soy un periodista muy prolífero y muy abierto, Jorge.

—¡Eres un abusivo!

Con Joaquín Hernández Galicia, "guía moral" del sindicato petrolero, el más poderoso de Latinoamérica durante décadas, tuve diferencias enconadas. Lo acusé —y lo sostengo— de haber sido un cacique despiadado, en ocasiones enloquecido. Alguna vez me lo recriminó, cara a cara:

—Yo a ti no te tragaba —me dijo en su feudo de Ciudad Madero, en Tamaulipas, a donde acudí a instancias de un amigo común, el extinto doctor Rodolfo Gil Zayas, ex alcalde del puerto de Tampico y con acrisolado prestigio en la región—, porque me pegaste sin conocerme. Hoy te reconozco que tienes... bueno ya sabes, para enfrentarte al sistema.

—Gracias. Vine a verlo porque supe que usted también estaba interesado en ponerle un hasta aquí a De la Madrid.

—¡Se lo dijimos de frente, en el Palacio Nacional! Luego vendría aquel editorial de *Excélsior*, el que escribió don Carlos, tu padre, apoyándonos. De ahí vino el encuentro entre él y yo.

—¿Y qué pasó?

—Después del "accidente" de tu papá... ¡me mandaron aquí, a Ciudad Madero, al jefe de la comandancia militar de Guerrero —la Trigésima

Quinta Zona— que manejó lo del parte sobre el paso de don Carlos por aquel méndigo retén! El general Roberto Heine Rangel. Yo creí que seguía yo... o a lo mejor todavía sigo.

"La Quina" fue emboscado en su casa particular, por elementos del Ejército Nacional, en enero de 1989, unas semanas después de la asunción de Carlos Salinas a la presidencia de la República. Y permaneció encarcelado, tras un juicio sumario, hasta mediados de 1998. Lo visité, a su salida, en la modesta casa de Cuernavaca en donde le permitieron estar un tiempo.

—¿Su aprehensión, don Joaquín, fue una venganza de Salinas por haber apoyado usted la candidatura de Cuauhtémoc Cárdenas?

—Mira, te lo voy a decir de una vez: si yo hubiera apoyado a Cuauhtémoc, ¡ganaba el *cabrón*! Teníamos mucha fuerza en esos días.

—Tanta como para encararse con el presidente De la Madrid.

—Así es. ¿Te acuerdas lo que le dijo Pepe Sosa? —en aquel momento, secretario general del sindicato—. "¡Si se hunde Pemex, se hunde usted!

—Pero él que se hundió fue usted, don Joaquín.

—Fue por el rencor de Salinas... que sabía que no había ganado las elecciones de 1988. Pero ya no voy a decirte más, ¿eh?

—¿Por qué, don Joaquín?

—Porque quiero contarlo todo, siempre y cuando me paguen derechos de autor. Quiero dos millones de dólares. Si te animas a conseguirme editorial... ¡te doy una comisión! ¿Le entras?

Manos sucias detrás. Y cuando no es así es explicable que surjan las sospechas. Cuando nació el Partido de la Revolución Democrática, entre jugueteos, se filtró la especie de que el ex presidente Luis Echeverría, con ascendencia política aparente sobre Porfirio Muñoz Ledo, financiaba al nuevo instituto. Del acento superficial a la cuestión de fondo, toda disección fue admitida.

—En realidad —explicó Muñoz Ledo cuando aún divagaba sobre la creación de un nuevo partido en enero de 1989—, hasta en las siglas tenemos que ser cuidadosos. No podemos llamar al organismo, como quieren algunos, "Partido Democrático Revolucionario".

—Pero, no está mal, senador.

—Pues sí lo está. Sería el PDR, ¿no? Y, desde luego, nos llamarían los *pedorros*. No podemos permitirnos siquiera un pecado original de esta naturaleza.

Y a Echeverría, siempre agitado en la antesala de su residencia de San Jerónimo, a donde llegan objetos de arte y buscadores de mecenas con la misma intensidad, le pregunté:

—Don Luis, ¿qué tan cerca está usted del PRD? Porque Muñoz Ledo fue secretario del Trabajo durante el periodo presidencial suyo y...

—Sí, ya sé. Lo identifican conmigo, ¿no? Era un muchacho muy brillante cuando sirvió en mi gobierno; después me visitó algunas veces. Pero, ¡de eso ya pasaron veinte años! Respecto a Cuauhtémoc Cárdenas nunca tuve una relación cercana con él.

—¿Le simpatiza el PRD, don Luis?

—Yo soy fiel y seré fiel al PRI hasta mi muerte. ¡Más ahora cuando el "populismo" está en vías de reivindicación! ¡Ja, ja!

—¿Le molesta ser llamado populista, señor?

—¿Cómo? Si serlo es estar pendiente del pueblo, servir al pueblo y ejecutar funciones para el bien del pueblo, ¡claro que admito ser populista! Los que no lo han sido... pues ya ves cómo les está yendo.

En febrero de 1975, el presidente Echeverría dejó olvidada, en el despacho del gobernador de Yucatán, una carpeta negra sin sello alguno para acreditar alguna confidencialidad. La misma contenía un detallado informe, signado por el secretario de Hacienda, entonces José López Portillo, sobre la urgencia de que el Banco de México imprimiera millones de pesos en billetes sin respaldo alguno. Sólo así, se concluía en el documento, sería factible superar una inminente crisis de liquidez.

El tesorero del gobierno yucateco, Efraín Ceballos Gutiérrez, al enterarse, no pudo sino exclamar:

—¡Es el aviso de que nos viene una monumental devaluación! Y la asume el presidente como un "mal necesario".

El gobernador avisó al titular del Ejecutivo federal de su hallazgo:

—¡Ah, sí! ¡Ya estábamos preocupados! ¡Qué bueno que la encontró, señor gobernador! ¿Podría mandármela con un elemento de la mayor confianza?

—Desde luego, señor presidente. Se la envío con el tesorero del Estado.

—Ni una palabra de esto a nadie, ¿eh?

Así, con tal superficialidad, se inició la catástrofe a través del acuerdo entre Echeverría y quien sería, desde luego, su sucesor: José López Portillo. Las crisis recurrentes, depauperadoras y frenéticas, no se cocinaron artificialmente. Pero valieron, por supuesto, para consolidar la transición sexenal con rumbo hacia la tecnocracia. Don José, el de la "colina del perro", fue el último "populista" pero también responsable, junto a la debacle del saqueo de divisas y la consiguiente estatización bancaria que únicamente salvó a los grandes agiotistas mexicanos, de haber desembocado hacia Miguel de la Madrid:

—¡Ya verán —comentaba a cuantos se le acercaban a su paso por Hacienda— que Miguel lo hará mejor que yo!

Miguel, entonces subsecretario de la misma dependencia con sede en el Palacio Nacional —sólo había que mudarse de rincón a rincón para ascender a la "primera magistratura"—, fue el representante predilecto del jovial e irreverente López Portillo hasta que se hizo insustituible:

—Prefiero —pidió López Portillo a su hijo José Ramón, en trance de matrimoniarse— que no invites a ninguno de mis colaboradores. Cualquier cortesía puede ser vista como una inducción.

—Pero... ¡ya le pedí a uno que sea testigo de la boda civil!

—¿A quién?

—A Miguel de la Madrid. ¿Algún inconveniente?

—Desde luego, no tienes mal ojo. Sólo a él, ¿verdad?

Cuestión de dinastías que alcanzan también a los opositores en un México plagado de contradicciones extremas. Cuauhtémoc Cárdenas, aspirante casi obcecado al gobierno de Michoacán durante tres periodos presidenciales, pasó el sexenio de Echeverría presidiendo ceremonias en homenaje al "Tata Lázaro". Hasta que logró la ansiada candidatura:

—Un "dedazo" más, como tantos otros —le reprocharon en un programa radiofónico.

—Bueno... me plegué entonces a las reglas del juego. Así se hacía la política en esos días.

Cárdenas fue el primer niño que tuvo el privilegio de corretear por los jardines de Los Pinos. Nació el primero de mayo de 1934, apenas siete meses antes de que su padre, el general Lázaro Cárdenas, asumiera el liderazgo nacional —en este caso sí—. Tuvo una infancia de privilegio en la que destacó rompiendo su alcancía para aportar sus ahorros, como símbolo de la fuerza potencial de las nuevas generaciones, a la causa de la nacionalización petrolera cuando los concesionarios ladrones, finalmente despojados, presionaban al gobierno de la República pretendiendo incluso sobornar al primer magistrado.

Luego de la campaña presidencial de 1994, su segunda experiencia fallida como candidato, le pedí a Cárdenas un análisis sobre su propia situación en comparación al mito de "la cultura del esfuerzo" aireado por el doctor Ernesto Zedillo, supuesto "limpiabotas". Cuenta la historia oficial, cuando niño:

—Usted nació entre algodones y vivió en Los Pinos, ingeniero; Zedillo, en cambio, se presenta como un tenaz y empeñoso mexicano de clase media. No obstante, usted sostiene la bandera del cambio y él es fruto del continuismo político. ¿Cómo conciliar tales premisas?

—Cada quien es lo que representa, no por su origen sino por lo que sostiene. Y Zedillo es sólo un emisario de la plutocracia... aunque se diga "bolero".

¿Cuál es el hilo conductor que relaciona a los mandatarios recientes de México? ¿Su acendrado nacionalismo como sostiene el discurso oficial? ¿O los intereses inconfesables que vamos, apenas, descubriendo? Allá en los corrillos de Televisa, durante largo tiempo la empresa paraestatal mexicana de mayor éxito y proyección en el mundo, tanto que le permitió a su principal accionista, el extinto Emilio Azcárraga Milmo, poseer un yate de lujo en cada uno de los principales puertos del globo terráqueo, se divulga un rumor que va cobrando sentido tras el alevoso asesinato del comediante y presentador de programas de variedades, Francisco "Paco" Stanley, el 7 de junio de 1999:

—Paco sí estaba metido, "hasta las cachas", en el narcotráfico. ¿Te acuerdas de sus cachetes?

—Me parece que desaparecieron después de una exitosa cirugía...

—Pues se los arreglaron los mismos médicos que luego intervinieron a Amado Carrillo, "el Señor de los Cielos". Paco era de los suyos, ni duda cabe.

—Pero, ¿por qué utilizar a un artista mediano, muy popular si se quiere pero incapaz siquiera de ganar una diputación cuando fue postulado?

—A lo mejor es sólo un instrumento de los fuertes... como podría serlo también Talina Fernández.

—¿La dama del buen decir?

—La misma. ¿No te dice algo el hecho de que haya estado tan, pero tan cerca de la esposa de Colosio, Diana Laura, en las horas fatídicas de Tijuana aquel 23 de marzo de 1994?

Talina dio la noticia a México del deceso del candidato presidencial del PRI. Jacobo Zabludovsky, muy serio y sin mover ni una pestaña, puntualizó entonces:

—¿Te das cuenta, Talina, que acabas de transmitirme la noticia más trascendente de la segunda mitad del siglo XX en México?

Colosio había muerto. Y, con ello, el perfil del país cambió de modo dramático. Fue entonces cuando recordé, dolido también, una sentencia de Alfonso Martínez Domínguez, redimido por José López Portillo, quien lo designó candidato a gobernador de Nuevo León apenas ocho años después del "Jueves de Corpus" de 1971 cuando los "halcones", organizados a la sombra del Departamento del Distrito Federal, del que el norteño era jefe, masacraron sin piedad, y luego remataron en los hospitales, a decenas de jóvenes estudiantes.

Don Alfonso, autor después de la "macroplaza" de Monterrey y promotor de la estatua ecuestre de López Portillo después retirada de una glorieta infamada, en mi hogar paterno, sintiéndose en confianza, expresó, rotundo:

—La amnesia de los mexicanos lo permite todo. Entre nosotros, hasta la afrenta mayor se olvida cuando pasa el tiempo. Sí, el tiempo es la mejor medicina.

Y, de cura en cura, desmemoriados, vamos hacia el próximo milenio.

Epílogo. Favoritos y cómplices

—Entiéndanlo bien. En este sexenio —el del doctor Ernesto Zedillo Ponce de León—, nadie puede tocar a Guillermo Ortiz Martínez ni a Eduardo Fernández García. ¡Ah!, tampoco a Jaime Camil. Quien lo haga, lo hará bajo su propio riesgo, ¿eh?

Primeras instrucciones. El director de un cotidiano, especializado en temas económicos, plantea a los reporteros bisoños las líneas generales. Nada de interpretaciones: órdenes precisas.

—¿Y quién es Jaime Camil? —se anima a preguntar uno de los recién admitidos informadores.

—¿No lo sabes? Entonces, mano, estás fuera de la jugada.

Guillermo Ortiz, el economista principal del "reino", inamovible si bien trasladado de posición cuando fue necesario protegerlo —de la titularidad de la Secretaría de Hacienda al Banco de México en calidad de gobernador—, y Eduardo Fernández, intransitable presidente de la Comisión Nacional Bancaria y de Valores, guardan, celosos de su cercanía con el "jefe de las instituciones nacionales", esto es el que manda sobre todos los cargos y todas las dependencias en la órbita gubernamental —se entiende, por tanto, la sumisión de los poderes Legislativo y Judicial—, los mayores secretos de la época. Pero, ¿y Camil?

—No sale de Los Pinos. Es el mejor amigo, el confidente... el socio —me indica una fuente solicitándome discreción—. Nadie, como él, para convencer al presidente... ni para alegrarle tras una jornada tensa.

Camil, empresario e inversionista, es centro de las fiestas más deslumbrantes a lo largo de las doradas costas de Guerrero, un escenario agreste bajo el dominio de los cacicazgos.

—¡Qué pachangas! Pero, además, ¡qué casas! Ni te imaginas: están hechas con el lujo antiguo: pisos de mármol, puertas con baño de oro; cursis pero carísimos remates. No hay límites, pues.

Los detalles saltan a la vista. Camil, en combinación con Eugenio Sada, presidente del Grupo Financiero Serfín y otro de los grandes e intocables amigos del presidente Zedillo, piensa a lo grande.

—Son muy generosos con sus cuates. ¿Te digo qué les regalaron con motivo de la Navidad de 1998? Canastas repletas de botellas de Vega Sicilia —valuadas en medio millón de pesos cada una.

—¿Y cómo las consiguieron? La cosecha de ese vino emblemático de la Ribera del Duero es siempre muy corta.

—Fácil... adquirieron, de antemano, la mitad de la producción. Todo se puede cuando no hay limitaciones ni fronteras.

Afectos costosos. Odios profundos. Historias molestas. De la frivolidad a la complicidad.

¿Cuándo perdió el doctor Zedillo, por ejemplo, el interés por honrar la memoria de quien estaba llamado a ser presidente de México, Luis Donaldo Colosio, durante el periodo por aquel cubierto? Manlio Fabio Beltrones, ex gobernador de Sonora, cuenta su versión:

—Al presidente le incomodaba recordar el sacrificio de Luis Donaldo. Preguntaba, si acaso, como una forma de cortesía.

—¿Jamás dejó entrever alguna sospecha, desde el punto de vista personal, en relación con el crimen?

—Sólo una vez —explica Beltrones, hace una pausa y continúa—: Él creía que había sido obra del narcotráfico.

—¿Así te lo dijo?

—Lo dejó entrever. Al parecer, por lo menos así lo reflejaba. Lo tenía muy claro.

—¿Algún nombre, Manlio Fabio?

El político calla, mira fijamente, enciende un cigarrillo y asiente con la cabeza.

—Sí. Me lo dio. Él tenía muchas sospechas acerca de la posible intervención de Ricardo Canavati Tafich.

—¿Por qué? Según entiendo, él era un buen amigo de Colosio.

—Eso decía. Pero también es primo de Bitar Tafich, uno de los más aguerridos lugartenientes de Amado Carrillo, "el Señor de los Cielos". Casi nada, ¿no?

Canavati Tafich, cuando supo de esta afirmación, hizo lo posible por aclararla. Me encontré con él, primero con Carlos Olmos, su estratega en materia de relaciones públicas, terciando, y después a solas, y no paró de hablar. Extrovertido, locuaz, simpático, sentenció:

—Cuando me conozcas, cabrón, ¡me vas a adorar!

Y luego refirió su propia experiencia:

—Cualquiera en Monterrey puede dar fe de quién soy yo. Ni uno solo, ¿entiendes?, podría sostener semejante tontería —su posible involucramiento en el homicidio de su fraterno Colosio—. Se van a carcajear.

—Según me han dicho, el presidente lo ha llegado a creer.

—¡Mentira! Si es así, ¿por qué ahora me tiene tanta confianza? Soy diputado federal —1998— y pronto seré vicecoordinador de la bancada priísta. Es un hecho. ¿Tú crees que si Zedillo no me tuviera confianza me aceptaría?

—Sin embargo, tienes una relación familiar con Bitar Tafich...

—¡Por favor! Hay muchos Tafich, es un apellido muy extendido. Y yo tengo años de haberlo tratado. En cambio, fui amigo de Luis Donaldo, muy amigo.

(Manlio Fabio Beltrones, al subrayar la cercanía entre Canavati y Colosio, enfatizando la sospecha mayor, puntualizó:

—Canavati le prestaba a Donaldo su avión. Casi lo tenía copado. Yo creo que por eso el presidente Zedillo dudó sobre sus buenas intenciones.)

El regiomontano Canavati acepta tener amplios recursos:

—Sí, tengo mucha lana. Me ha ido bien. Todo comenzó cuando compré unos terrenitos por el rumbo de Garza García, Nuevo León, y la inversión floreció. Todos lo saben.

—¿Financiaste la campaña de Colosio?

—La administré en buena medida. Y es que de arriba nos apretaban, la verdad. No había recursos suficientes. Te lo juro.

—¿Los dejó al aire Salinas?

—Ni te imaginas a qué grado. Pero íbamos saliendo, poco a poco.

—Hasta que ya no tuvo caso continuar, Ricardo.

—Voy a decirte algo, sólo para que sepas el grado de confianza que había entre la familia Colosio y yo. En mi avión viajó Diana Laura —la viuda de Colosio— a Estados Unidos cuando debió atenderse, unas semanas antes de su muerte. ¿Tú crees que lo hubiera hecho si desconfiaba de mí?

—¿También era tu amiga?

—¡Por supuesto! Y te digo más: Diana Laura se hospedó en mi casa luego del crimen. Durmió en mi recámara, para que te lo sepas. Yo la dejé ahí como ama y señora. Y la visitaba lo menos posible para no confundir a la servidumbre: ella debía mandar ahí, no yo.

—¿La llamaba con frecuencia el entonces presidente Salinas?

—Sí. Y me pedía que yo le solicitara que hablara con él: "Convéncela —me decía—, está en tu casa". Y yo le contestaba: "No, señor; la casa es de Diana".

—Debieron ser momentos muy difíciles, Ricardo.

—Lo fueron. ¿Y quién crees que se hizo cargo de los niños?

—¿De Luis Donaldito y Mariana?

—De ellos. ¡Pues yo! Vivieron conmigo. ¡Si tú supieras...!

—¿No se comprometió públicamente Salinas a velar por ellos?

—Lo hice yo. ¿Será porque Diana Laura no me tenía confianza?

Y me contó entonces un pasaje que me comprometí a no difundir sobre los niños y las incidencias de su desarrollo. Alfonso Durazo, quien fuera secretario privado de Colosio, me pidió en concreto:

—No digas nada de eso. Por favor. ¿Para qué lastimarlos más?

—Pero, ¿por qué me lo platicó Canavati?

—No lo entiendo. No sé que se proponía.

Y el senador José Luis Soberanes, acaso el más entrañable amigo del matrimonio Colosio Riojas, remató:

—Si Luis Donaldo viviera y hubiese escuchado eso... ¡se iba directo a madrear a Canavati!

Manlio Fabio Beltrones, quien elaboró una sólida defensa contra quienes, en el *New York Times*, lo señalaron como enlace del narcotráfico —es el único de los funcionarios mexicanos acusados por la misma razón que le dio seguimiento a su propio caso—, recuerda:

—Salinas me presionaba, Rafael. Durante una audiencia, luego de desahogar la agenda sobre Sonora, me preguntó muy serio: "Oye, ¿cómo se llama el hijo de Donaldo?"

—Pero, ¿cómo? ¿Él no tenía conocimiento al respecto?

—Espérate. Yo le respondí, evadiéndome: "Señor presidente, usted sabe que se llama como él, Luis Donaldo". Entonces, Salinas, un tanto violento, puntualizó: "¡No, hombre! ¡El otro!". Y yo no quise darle el nombre. Me lo guardé.

—Pero, ¿de verdad no sabía? Se supone que el presidente es el hombre mejor informado del país.

—A lo mejor me estaba midiendo. No lo sé. Mira: luego de que Donaldo fue asesinado asumí un compromiso; y lo cumplí mientras fui gobernador de Sonora.

—¿De qué se trata?

—Donaldo tuvo un hijo con una secretaria suya, Josefina Burgos. Y yo le mandaba una pensión mensual. Para ella y para su hijo, el niño de quien quería Salinas conocer su nombre. Se llama Alejandro y es de la misma edad, con diferencia de días, de la pequeña Mariana.

—¿Lo sabía Diana Laura?

—Por eso se embarazó a pesar de que ya le habían diagnosticado el cáncer. Decía que quería dejarle su propia imagen a Donaldo.

Un capítulo terrible que todavía hiere. ¿Quién fue el mayor beneficiario?

—No olvides a José María Córdoba Montoya, Rafael —insisten, una y otra vez, cada uno de los amigos de Colosio.

Alguien más, suscrito al anonimato para evitarse daños mayores, acentuó:

—El chofer de Córdoba, Jesús Banda, homosexual, claro, sabe mucho de los movimientos de su jefe. Y anda suelto, como suelto está el general Domiro García Reyes, a quien le bastó llorar sobre el féretro de su jefe para ser exonerado.

Otra vez: narcotráfico y cofradía de la mano caída. Elementos consustanciales al modo de ejecutar de la "nueva" clase tecnopolítica.

El lunes 7 de diciembre de 1998, invitado por la Comisión de Seguimiento a las Investigaciones en torno a los Atentados en Contra de los Ciudadanos Luis Donaldo Colosio y Francisco Ruiz Massieu, en la Cámara de Diputados, el secretario de la misma, José Ignacio Martínez Tadeo, me preguntó:

—Se desprende de los libros por usted publicados que hay una vertiente no investigada. ¿Podría abundar en ella?

—Me sorprende, diputado, que no se indague acerca de las conductas singulares de los operadores. Esto es, de las preferencias íntimas que pueden marcar una pauta. Sobre todo en cuanto al crimen contra Ruiz Massieu... pero también en relación con el caso Colosio, en cuyas secuelas han intervenido muchos influyentes homosexuales, amafiados, claro. Para decirlo de una vez.

Fue entonces cuando el licenciado Manuel González Espinoza, presidente de la comisión, priísta, expresó un deseo:

—Hemos pedido que comparezca el doctor Ernesto Zedillo. Él fue el coordinador de la campaña de Luis Donaldo Colosio. Y debe aportar su versión.

—¿Lo hará, diputado?

—El procurador Jorge Madrazo y el fiscal especial, Luis Raúl González Pérez, me han ofrecido que se efectuará la diligencia.

El miércoles 4 de agosto de 1999, González Pérez "tranquilizó" a los legisladores de las comisiones de seguimiento, senadores y diputados, revelándoles que el doctor Zedillo ya había rendido declaración... ¡cuatro meses antes! En abril del mismo año. Muy conveniente. No dijo más al respecto, desde luego.

—Estimo —les dije a los parlamentarios en diciembre de 1998— que la verdad no aflorará mientras esté en la presidencia el principal beneficiario del crimen.

Cuando salí del Palacio de San Lázaro, mi mente voló hacia otro escenario, el del Palacio de Covián, en donde, con voz gruesa, uno de sus pasajeros inquilinos, Fernando Gutiérrez Barrios, me había dicho respecto a la inclinación criminal de los mandatarios desatados por las carreras sucesorias, así fuera sólo en la ficción:

—Peligrosa tesis, Rafael, peligrosa tesis.

RAFAEL LORET DE MOLA
Agosto de 1999

Página del lector

Un libro retroalimenta y, si convence, crea la necesidad de un mayor acercamiento con el autor. Le sugiero, aprovechando las facilidades del mundo cibernético, establecer contacto e incluso participar, de modo directo, en el imperativo de denunciar y desnudar a los grandes depredadores de la vida nacional.

El método es muy sencillo. Pongo a la disposición de usted, luego de haber pasado junto conmigo por los agrestes paisajes de nuestra intrincada geografía sociopolítica, mis direcciones electrónicas:

rloret@hotmail.com
raloret@latinmail.com

Con ellas en la mano le será factible, además de intercambiar información, sugerir, cuestionar y ampliar, con lo que usted pueda aportarme, lo sostenido en las páginas de esta obra.

Propongo un formato inicial:

1. ¿Ha sido usted testigo de algún acto de inmoralidad política?
2. ¿Tiene conocimiento cabal, comprobable mediante alguna fuente informativa, sobre un "secreto" que desee se divulgue para acabar con la simulación?

3. ¿Sabe de alguna historia, especialmente significativa, acerca de los actores de la cúpula del poder?

No calle más. Espero su respuesta y también su opinión, libre y espontánea, sobre lo que sostengo en estas duras, a veces amargas, páginas.
Con un cordial saludo

RAFAEL LORET DE MOLA